Chère lectrice,

Ce mois-ci, les romans de la collection Horizon que j'ai spécialement sélectionnés pour vous vous montreront que, quoi qu'il arrive, il faut toujours croire en l'amour !

Dans *Un fabuleux mariage* (n°2081), vous verrez comment Pete Schofield, qui s'était pourtant juré de ne jamais s'attacher sentimentalement, va tomber amoureux dès le premier regard de la jolie Thomasina Tyler... Un coup de foudre qui frappe également Maddie Jackson, qui sent son cœur s'affoler dans sa poitrine dès qu'elle croise son patron dans les couloirs de la station de radio pour laquelle elle travaille (*Passion pour un célibataire*, n°2082). Melissa Ryan, elle, rencontre le grand amour de façon très originale, puisque c'est en accouchant au bord d'une route ! (*Papa dans l'âme*, n°2083). Enfin, dans *Les caprices du destin* (n°2084), vous découvrirez une nouvelle fois que le hasard fait vraiment bien les choses...

Bonne lecture !

La responsable de collection

Papa dans l'âme

MARIE FERRARELLA

Papa dans l'âme

COLLECTION HORIZON

*éditions*Harlequin

Cet ouvrage a été publié en langue anglaise
sous le titre :
FATHER GOOSE

Traduction française de
CHRISTINE BOYER

HARLEQUIN®

est une marque déposée du Groupe Harlequin
et Horizon® est une marque déposée d'Harlequin S.A.

Originally published by SILHOUETTE BOOKS,
division of Harlequin Enterprises Ltd.
Toronto, Canada

© 1992, Marie Rydzynski-Ferrarella. © 2006, Traduction française : Harlequin S.A.
83-85, boulevard Vincent-Auriol, 75013 PARIS — Tél. : 01 42 16 63 63
Service Lectrices — Tél. : 01 45 82 47 47
ISBN 2-280-14500-6 — ISSN 0993-4456

1.

La canicule qui sévissait à Newport était accablante et Del Santini avait l'impression de se mouvoir au ralenti. Il roulait pourtant bon train sur sa moto. Mais il transpirait sous son casque de policier et ses bottes de cuir lui collaient à la peau.

« Mieux vaut un peu de chaleur que des torrents de pluie », se dit-il avec philosophie en rétrogradant pour s'engager sur l'autoroute.

Il n'y a pas si longtemps, il comptait les mois qui le séparaient de l'âge légal pour conduire un engin comme le sien. Et maintenant, il avait hâte d'en descendre et de s'installer dans une pièce confortable, une bière fraîche à la main… Il soupira. Son service était loin d'être terminé et il lui faudrait attendre encore un peu avant de pouvoir se détendre en écoutant le doux ronron de l'air conditionné…

Soudain, un bruit de moteur attira son attention

et, stupéfait, Del vit passer sur la bande d'arrêt d'urgence une vieille camionnette toute cabossée, qui le doubla à vive allure et continua sa course folle.

Toute trace de fatigue envolée, Del se demanda si le conducteur de ce tas de ferraille avait perdu l'esprit. L'audace de certains chauffards ne cessait de le surprendre. L'inconscient au volant de ce véhicule dépassait largement la vitesse autorisée et n'avait même pas cherché à ralentir ! Pourtant il avait forcément remarqué sa présence ! Ignorait-il le code de la route ou se considérait-il comme au-dessus des lois ?

Del n'allait pas tarder à le savoir.

Actionnant ses feux clignotants, il se lança à sa poursuite. Mais visiblement, le chauffeur était très pressé — ou stupide — et ne connaissait pas l'usage du rétroviseur. Il ne semblait pas s'être aperçu que la police était à ses trousses.

Les dents serrées, Del déclencha sa sirène et accéléra. Son compteur marquait cent quatre-vingts.

Cette camionnette pouvait se révéler dangereuse. Pourquoi son conducteur faisait-il fi de ses signaux ? S'agissait-il d'un criminel en fuite ? Del s'apprêtait à appeler des renforts quand le véhicule ralentit enfin avant de s'arrêter en catastrophe — qui pis est, de travers — sur le bas-côté de la route. Qui était donc ce chauffard ?

Coupant le moteur de sa moto, Del s'approcha de la portière du passager et regarda par la vitre ouverte. A l'intérieur, il n'y avait qu'un seul occupant, une femme. Savait-elle seulement qu'il était interdit de rouler sur la bande d'arrêt d'urgence ?

— Garez-vous correctement ! lui ordonna-t-il.

La conductrice tourna la tête vers lui. Elle était très jeune et elle lui aurait sans doute semblé jolie sans l'anxiété qui crispait ses traits. Livide, ses cheveux bruns noués en queue-de-cheval, elle avait l'air hébétée. Etait-elle sous l'emprise d'une drogue ?

Avec une profonde inspiration, Melissa Ryan tenta de recouvrer ses esprits et lutta contre la panique croissante dont elle était la proie. Mais loin de la revigorer, l'air chaud l'oppressait. Pourquoi ce policier paraissait-il en colère ? Et que lui voulait-il ?

— Pardon ? balbutia-t-elle.

— Garez-vous correctement ! répéta-t-il d'une voix plus dure. Vous gênez la circulation !

Comme pour lui donner raison, une voiture passa

si près de la camionnette que son conducteur dut faire une embardée pour éviter un accident.

Del retint un juron. S'il ne voulait pas être témoin d'un carambolage, il devait réagir. Heureusement, en ce début d'après-midi, il n'y avait pas beaucoup de monde sur les routes.

Mesurant enfin le danger, la jeune femme braqua de toutes ses forces son volant vers la droite pour dégager la voie.

S'il était soulagé de voir que la sécurité était rétablie, Del s'interrogeait encore sur l'âge mental de la conductrice. Il sortit son calepin et s'apprêta à dresser un procès-verbal. Pour cette inconsciente, la note risquait d'être salée. Le simple fait d'emprunter la bande d'arrêt d'urgence était passible d'une amende de deux cents dollars. A laquelle viendrait s'ajouter une contravention pour excès de vitesse. A en juger par l'état du véhicule, elle n'aurait sans doute pas les moyens de payer. Pourquoi certaines personnes étaient-elles incapables de réfléchir avant d'agir ?

Et quelles sornettes allait-elle inventer pour tenter de s'en tirer ? Depuis quatre ans qu'il travaillait dans la police, il avait entendu bon nombre d'automobilistes raconter n'importe quoi. Se préparant

10

à des explications vaseuses et à des supplications, il s'approcha de la vitre ouverte.

— Madame, commença-t-il d'un ton ferme. Etes-vous seule dans cette camionnette ?

La sueur perlait sur le visage de Melissa et elle serrait si fort son volant que ses doigts en blanchirent. Une douleur atroce broyait ses reins.

— Pas pour longtemps, rétorqua-t-elle.

C'est alors que Del comprit pleinement la situation.

Elle était enceinte. Tellement enceinte qu'il se demanda comment il avait pu ne pas remarquer plus tôt son ventre proéminent.

D'une voix faible, il s'enquit :

— Etes-vous en train de… ?

Blême, Melissa opina du menton.

— Mon bébé va naître d'un instant à l'autre.

Au bord de l'évanouissement, elle humecta ses lèvres. Se rendre à la maternité par ses propres moyens avait été une erreur. Mais à qui aurait-elle pu demander de l'aide ? Quand les contractions étaient survenues, elle avait cherché l'adresse de l'hôpital le plus proche dans l'annuaire et s'était mise en route, priant pour arriver à temps…

Incapable de croire qu'elle avait pris le volant alors qu'elle était sur le point d'accoucher, Del

11

promena les yeux à l'arrière du véhicule. Il dut se rendre à l'évidence…

Brusquement, elle s'empara de sa main et la pressa comme si elle voulait la réduire en bouillie. Pour une femme qui, sa taille rebondie mise à part, semblait si fluette et délicate, elle ne manquait pas de force !

— Doucement, murmura-t-il.

Comme il se dégageait gentiment, il aperçut une alliance sur son annulaire. Où était donc son mari ? Pourquoi n'était-il pas aux côtés de son épouse ?

— Est-ce votre premier ?

Submergée par une indicible douleur, elle répondit dans un souffle :

— Oui.

Del s'efforça de lui sourire d'un air confiant. Deuxième d'une famille de six enfants, il en avait vu d'autres. Sa propre sœur avait connu trois fausses alertes avant d'accoucher pour de bon.

— Pas de panique, vous avez le temps. En général, les premiers bébés prennent un moment pour montrer le bout de leur nez…

C'était aussi ce que lui avait affirmé son gynécologue d'Arizona, songea Melissa. Hélas, rien ne se passait comme prévu.

12

— Le mien n'a pas l'air au courant, répliqua-t-elle. Il veut sortir. Maintenant.

Comme une autre contraction lui cisaillait le ventre, elle gémit avant de s'emparer de nouveau de la main de Del.

Ce dernier ne savait pas quoi faire et regretta qu'un supérieur expérimenté ne soit pas à ses côtés. Certes, il avait suivi une formation de secourisme pendant ses classes, mais le cours sur l'accouchement avait été très théorique et il ne s'en rappelait plus grand-chose. Tout en fouillant dans sa mémoire, il déclara :

— Tant que vous n'avez pas perdu les eaux, il n'y a pas lieu de s'inquiéter.

Les dents serrées, elle repartit d'une voix haletante :

— Alors il devient urgent de s'affoler, je les ai perdues il y a plus d'une heure.

Comprenant qu'elle ne plaisantait pas, Del tâcha de se libérer de son emprise.

— Dans ce cas, je ferais mieux d'appeler les secours…

Refusant de le lâcher, elle s'accrochait à lui comme à une bouée de sauvetage.

— Inutile. Ils arriveraient trop tard.

Elle mourait de peur. Dans ses pires cauchemars,

13

elle n'avait jamais imaginé mettre son enfant au monde au bord de l'autoroute ! Elle n'avait pas prévu non plus de se retrouver seule dans une ville étrangère. Alan aurait dû être près d'elle, à lui tenir la main en lui murmurant des mots d'amour et des encouragements…

Mais Alan était parti. Et tout allait à vau-l'eau.

Elle regarda le policier. Il avait de bons yeux. Elle détestait faire l'aumône mais les contractions qui torturaient son ventre balayaient ses sursauts de fierté.

— Je vous en prie, ne me laissez pas. Je…

Avec un cri de douleur, elle s'interrompit.

Del n'avait jamais assisté une femme en travail. La peur l'envahit. Saurait-il s'y prendre ? Et si les choses ne se passaient pas bien ? Et s'il…

Tétanisé, il considéra la future mère avec attention. Il lui donnait vingt-deux ou vingt-trois ans. Elle était terrifiée. Comment pouvait-il penser à sa petite personne dans un moment pareil ? Elle avait besoin de lui et il se devait de l'aider du mieux possible.

Il enveloppa sa main dans la sienne.

— Je ne m'en vais pas.

Avec effort, Melissa réussit à lui adresser un

sourire de gratitude. Elle se focalisait sur sa respiration.

Del n'avait pas le choix et regretta, une fois de plus, de n'être pas accompagné d'un collègue.

— Peut-être devriez-vous vous installer à l'arrière de votre camionnette, suggéra-t-il.

— Vous avez raison.

Ironie du sort, c'était là que le bébé avait été conçu. Alan et elle étaient partis faire du camping. Avant d'avoir pu monter leur tente, ils avaient été surpris par l'orage et ils avaient dû se réfugier dans le van. Ils avaient passé une nuit merveilleuse, bercés par le chant de la pluie. Alan la serrait dans ses bras, lui répétant qu'il l'aimait…

A l'époque, elle avait cru qu'elle raconterait un jour cette belle histoire à l'enfant qu'elle portait. Tout cela appartenait désormais au passé…

Elle se traîna au fond de la camionnette sans lâcher la main de Del. Comme il était encore à l'extérieur, elle faillit lui coincer le bras.

— Attention ! cria-t-il.

Se rendant compte de ce qu'elle était en train de faire, elle rougit. Qu'elle était bête ! Il lui fallait se ressaisir. Depuis la découverte du mot d'Alan, la veille, elle n'était pas dans son état normal. Vingt-quatre heures plus tôt, ils auraient dû se marier. Au lieu de quoi, il lui avait laissé une lettre de rupture. Et à présent, le bébé était en train de naître. Avec un mois d'avance. Elle ne se sentait pas prête.

— Pardonnez-moi.

Un instant plus tard, elle s'agrippa de nouveau à lui comme pour y puiser de la force.

Del se demanda si elle avait quelqu'un dans sa vie, sur lequel elle pouvait s'appuyer, ou si elle vivait seule. Cette dernière hypothèse lui semblait la plus probable. Pourquoi autrement aurait-elle dû se rendre à l'hôpital par ses propres moyens ?

A sa suite, il se glissa à l'arrière — avec une souplesse surprenante pour un homme aussi grand.

Melissa s'efforçait de ne pas perdre connaissance mais bouger l'épuisait et elle craignait de défaillir. Dans un état second, elle sentit le policier la prendre dans ses bras. Il y avait quelque chose de très protecteur dans ses gestes.

Il la dévisagea avec inquiétude.

— Ça va ?

Elle battit des paupières et lui sourit faiblement.

— Je ne suis pas au mieux de ma forme mais je survivrai.

16

Un peu affolé, Del chercha une fois de plus une échappatoire.

— Je n'ai aucune expérience dans ce domaine. Si j'appelle mes supérieurs et…

Elle s'apprêtait à acquiescer lorsqu'une nouvelle contraction la plia en deux. Elles étaient de plus en plus nombreuses, de plus en plus rapprochées. Le bébé arrivait, elle le savait.

— Il n'y a plus le temps.

Il perçut l'angoisse qui teintait sa voix et tenta de se remémorer ce que ses instructeurs lui avaient appris à propos de l'accouchement.

Repérant une couverture dans un coin de la camionnette, il l'étendit et aida la jeune femme à s'y allonger. Par chance, le sol était propre et recouvert d'une épaisse moquette.

Elle ferma les yeux. Comme elle souffrait ! Elle se rendit subitement compte que le policier l'aidait. Ses gestes étaient doux, gentils.

Son enfant allait naître dans cette vieille guimbarde, avec des voitures fonçant autour d'eux ! Elle ne lui offrait pas un bon départ dans la vie. Pendant sa grossesse, elle avait nourri tant d'espoirs, tant de rêves ! La triste réalité les avait réduits à néant.

Tandis que d'insupportables spasmes martelaient

son corps, Melissa serra convulsivement le bras du policier.

La sueur collait ses cheveux. Profitant d'un bref moment de répit, elle poussa un long soupir. Elle s'avisa alors qu'elle avait griffé l'homme jusqu'au sang.

— Seigneur ! C'est moi qui vous ai fait ça ?

Avec un sourire, il secoua la tête.

— Ce n'est rien. Pour une petite femme, vous ne manquez pas d'énergie.

Elle regarda son ventre proéminent. Elle se sentait grosse, laide et maladroite.

— Je ne suis pas si petite.

Pourtant, elle était toute menue et fluette. Elle semblait trop fragile pour mettre un bébé au monde.

— Je ne contredis jamais les futures mères, dit-il.

« Faisait-il allusion à son épouse ? » se demanda-t-elle. « Avait-il des enfants ? Le sien lui ressemblerait-il ? Ou verrait-elle Alan en le regardant ? »

— Etes-vous marié ? s'enquit-elle tout à trac.

Désolé de ne pouvoir faire davantage pour elle, Del lui donna la main.

— Non.

18

Elle le serrait si fort qu'elle lui broyait les doigts.

— Que souhaitez-vous ?

— Que ce soit fini.

Il eut un petit rire.

— Non, je voulais dire : préférez-vous avoir un garçon ou une fille ?

— Un garçon, pour qu'il ne connaisse jamais ces souffrances.

Del essuya son beau visage ruisselant de sueur.

— La délivrance est proche.

Melissa tourna la tête vers lui.

— Je ne pensais pas aux souffrances de l'accouchement, mais à celles de l'amour.

Une nouvelle contraction la plia en deux, l'empêchant de poursuivre.

Elles se succédaient de plus en plus vite, duraient de plus en plus longtemps. Del se sentait impuissant. Il ne pouvait rien faire pour soulager la jeune femme, mis à part lui tenir la main. « Elle est dans la dernière ligne droite », se dit-il en sentant ses ongles s'enfoncer dans son bras. « Le bébé va naître d'un instant à l'autre ».

Il regretta qu'il n'y ait pas de draps propres pour l'accueillir ni d'eau pour se laver les mains.

Et surtout, il regrettait de n'avoir pu la conduire à temps à l'hôpital.

Ils auraient pu être sur une île déserte, à des kilomètres de toute civilisation.

— A mon avis, vous n'allez plus tarder à devenir mère…

— Je le crois aussi. Bon sang ! J'ai l'impression qu'un éléphant m'écrase le ventre.

Comprenant que la phase d'expulsion était proche, Del lui lâcha la main et souleva son caftan en souriant.

— Je m'appelle Del Santini. Je devais vous le dire avant d'être obligé de m'occuper de vous de façon… plus personnelle que je ne le pensais en vous arrêtant.

Elle s'aperçut qu'il avait soulevé sa robe jusqu'à sa taille.

— Et moi, Melissa, répondit-elle dans un souffle.

Elle ne trouva pas la force de lui donner son nom de famille. Toute son énergie, toute son attention étaient accaparées par la révolution qui secouait son corps.

Del transpirait à grosses gouttes et se sentait engoncé dans son uniforme.

« Mon Dieu, je vous en supplie, faites que l'enfant ne se présente pas par le siège », priait-il en silence.

— Melissa, essayez de prendre appui sur vos avant-bras, cela devrait faciliter les choses.

Comme elle tentait péniblement d'obtempérer, il l'encouragea.

— Très bien. Tout va très bien se passer.

« Espérons que je vais m'en tirer », se disait-il, paniqué.

En apercevant le haut du crâne du bébé, le cœur de Del se mit à battre sur un tempo plus vif.

— Je vois la tête, Melissa ! Il arrive. Poussez. Poussez de toutes vos forces !

Les yeux clos, elle banda ses muscles pour expulser l'enfant. La douleur était fulgurante.

Il lui semblait souffrir depuis une éternité. Elle avait entendu dire que le travail de l'accouchement pouvait durer des heures, voire des jours. Quand elle avait pris le volant, elle était sûre qu'elle aurait largement le temps d'atteindre l'hôpital…

Mais tout s'était accéléré. Tout était allé trop vite. Elle n'avait connu que de brefs moments de bonheur et à présent, ils étaient loin.

La voix de Del interrompit ses sombres pensées.

— Poussez encore, Melissa. Allez !

— C'est ce que je fais, protesta-t-elle.

Elle contracta ses abdominaux puis s'arrêta, épuisée.

— Il ne veut pas sortir.

— Encore un petit effort, Melissa. Nous y sommes presque !

Comment sa propre mère avait-elle pu passer six fois de suite par cette épreuve ? se demandait-il. Endurer une telle torture était de la folie.

— Il essaie de venir. Il faut l'aider. Allez, du nerf, ce n'est pas le moment d'être une grosse paresseuse !

Cet homme n'avait vraiment pas de cœur.

— Vous a-t-on déjà fait remarquer que vous étiez odieux ? s'exclama-t-elle.

Il fixait la tête du bébé, qui s'avançait lentement.

— Plein de fois.

Elle semblait exténuée. Pourquoi un de ses collègues n'était-il pas passé par là à sa place ?

La sentant faiblir, il s'écria avec effroi :

— Ce n'est pas le moment de vous évanouir, Melissa ! Je ne peux rien faire tout seul !

— J'essaie, j'essaie encore.

Les yeux clos, elle poussa violemment. A la vue du haut du crâne du bébé, Del hurla, émerveillé :

— Le voilà ! Nous y sommes, Melissa.

Avec douceur, il dégagea une par une les épaules.

— Poussez ! Encore !

— Facile à dire, grogna-t-elle.

Ses traits fins ruisselaient de sueur, elle était à bout. Pour obtenir d'elle un sursaut d'énergie, il tenta de la mettre en colère.

— Allez ! Les femmes accouchent depuis la nuit des temps, vous n'êtes tout de même pas si empotée !

Brisée, Melissa avait envie d'abandonner la lutte. Pourquoi ne la laissait-il pas mourir ?

Pliée en deux, elle banda une dernière fois ses muscles. Si l'enfant ne sortait pas cette fois, elle ne pourrait plus l'aider, elle n'en pouvait plus.

Un petit gémissement se fit soudain entendre.

Son bébé était né.

Elle rejeta la tête en arrière. Des larmes de joie brûlaient ses paupières.

Ils avaient réussi.

2.

Tenir une nouvelle vie entre ses mains fut une expérience unique pour Del. Il en resta sans voix. Voir le minuscule nouveau-né, encore couvert d'un enduit blanc et de sang, l'emplit d'un profond respect mêlé de crainte.

Arraché à la chaleur du ventre de sa mère, le bébé émit un petit vagissement de protestation puis se tut. Ses yeux bleus dévisageaient fixement Del comme pour chercher à deviner qui il était.

A cet instant, Del comprit qu'il était fichu.

Encore essoufflée par les efforts qu'elle venait de fournir, Melissa tenta de se mettre sur son séant. Elle ne s'était jamais sentie aussi faible et son cœur battait à tout rompre. Pourquoi l'enfant ne criait-il pas ?

— Il va bien ? s'enquit-elle, dans un regain de panique. Je ne l'entends pas.

Del approcha le nourrisson pour le lui montrer.

— C'est une fille, répondit-il d'une voix tremblante. Et elle est trop occupée à regarder pour pleurer. Elle a beaucoup de cheveux, ajouta-t-il. D'après ma mère, les bébés nés coiffés ont de la chance toute leur vie.

« De la chance ? La petite n'avait pas de père et sa mère n'avait ni toit, ni travail, ni argent. Elle démarrait vraiment du bon pied son existence ! » songea Melissa avec amertume. Mais elle était en vie, c'était la seule chose qui comptait. La jeune femme était trop fatiguée pour se projeter dans l'avenir.

Délicatement, Del installa le nouveau-né sur la couverture. Ses grands yeux ne le quittaient pas. Il sortit de sa poche le couteau suisse que son père lui avait offert, l'été avant sa mort. Ce dernier ne se doutait pas alors de l'usage qu'en ferait un jour son fils.

Le cœur de Melissa s'accéléra.

— Que faites-vous ? fit-elle avec inquiétude en le voyant brûler la lame de son canif.

— Je dois couper le cordon ombilical.

Comme elle acquiesçait d'un mouvement de tête,

une nouvelle contraction la fit crier. Elle regarda son ventre avec horreur :

— Cela recommence ! Que se passe-t-il ? Ne me dites pas qu'un autre bébé s'apprête à sortir ! Si j'attendais des jumeaux, le docteur l'aurait vu à l'échographie !

Se remémorant ses cours, Del répondit d'un ton assuré :

— C'est le placenta. Il doit être expulsé, lui aussi.

Il retint son souffle, fit une rapide prière et sectionna le cordon.

Quand il eut terminé, il rangea son couteau avec un soupir de soulagement. Comme il n'avait rien pour nettoyer l'enfant ni pour la couvrir, il retira sa chemise et l'y enveloppa. Puis il se servit de la manche pour lui essuyer le visage. Lorsqu'elle plissa son front d'un air contrarié, Del se mit à rire.

— Voilà tout ce que je peux faire, dit-il en la plaçant gentiment dans les bras de sa mère. Je n'ai rien pour la langer.

Emue, Melissa serra la petite contre son sein et la contempla. Sa fille. Elle n'en revenait pas d'avoir mis au monde cet être minuscule et parfait. Une vague de gratitude la submergea.

— Je ne sais pas comment vous remercier.

Modestement, Del haussa les épaules et sourit.

— Je n'ai fait que mon travail. Mais je dois reconnaître que je n'avais encore jamais connu de journée comme celle-ci.

A genoux, il caressa la tête du nourrisson. Elle avait les cheveux noirs, comme sa mère.

Un visage viril apparut soudain à la vitre du passager.

— Tout va bien ici ?

Ses yeux gris s'écarquillèrent de surprise en reconnaissant son collègue :

— Del ?

Déconcerté, Del sursauta.

— Larry !

Il lui fallut un petit moment pour reprendre ses esprits. Depuis qu'il était entré dans cette camionnette, il avait oublié le monde extérieur.

— Je suis content que tu sois là.

A la vue d'une inconnue allongée sur la couverture et de Del torse nu, Larry secoua la tête et fronça les sourcils.

— Tu as eu de la chance que ce soit moi. Si un de nos chefs t'avait surpris en train de prendre un peu de bon temps pendant tes heures de service, tu aurais eu des ennuis.

Del fixa l'homme qui l'avait pris sous son aile depuis ses débuts dans la police.

— Pardon ?

Puis il comprit la méprise de Larry et reconnut que la situation pouvait prêter à confusion. Il se mit à rire.

— Ce n'est pas ce que tu crois, Larry. Cette femme vient juste d'accoucher. Si tu étais arrivé cinq minutes plus tôt, tu aurais assisté à la naissance.

— Tu parles sérieusement ?

Comme il découvrait Melissa, le nouveau-né dans les bras, son expression changea, s'imprégnant de respect.

— Vous allez bien, madame ?

— Oui, merci. Grâce à lui, tout s'est bien passé, ajouta-t-elle en souriant à Del.

Ses quinze ans de métier firent que Larry retrouva vite ses réflexes.

— Nous allons vous conduire à l'hôpital.

Il lorgna Del, toujours agenouillé au côté de Melissa. La sueur faisait briller son torse.

— Et toi, tu ferais bien de remettre ton uniforme.

D'un geste, il interdit au jeune homme de bouger.

— Reste avec elle et le bébé. Je vais appeler les urgences par radio et prendre le volant. L'enfant se porte bien ?

— Apparemment, oui.

— Parfait.

Le nourrisson eut un petit cri et Del resserra sa chemise contre son corps frêle. Dans le mouvement, ses mains effleurèrent la poitrine de Melissa. Gêné, il s'écarta. Quand leurs yeux se croisèrent, il vit briller dans les siens une infinie souffrance.

Aussitôt, une ribambelle d'émotions s'empara de lui, trop nombreuses pour qu'il puisse les identifier. Il savait seulement qu'elles concernaient la petite fille qu'il avait aidée à naître.

Et la femme qui la berçait.

Choqué par la tournure de ses pensées, Del les repoussa. Il ne devait pas s'impliquer émotionnellement dans cette histoire. Cette inconnue était mariée. Même s'il était loin d'être un saint, il respectait certains tabous et ne les aurait transgressés pour rien au monde.

C'était pour lui comme une mise à l'épreuve.

Ce qui s'était passé était, certes, inhabituel, mais faisait partie de ses fonctions. Il avait accompli son devoir, point final.

Pourtant, il se surprenait à éprouver des sentiments…

Mais c'était son problème, pas celui de Melissa.

— Je préviendrai votre mari dès que nous serons arrivés à l'hôpital, lui dit-il.

Melissa se concentra sur l'enfant. Des larmes brûlaient ses paupières.

— Cela risque d'être difficile.

Il perçut la tristesse de sa voix. Etait-elle due à la fatigue de l'accouchement ? Ou y avait-il autre chose ?

Melissa n'avait pas la force de se lancer dans de grandes explications. Pas maintenant. Elle ne voulait pas lui avouer qu'elle avait elle-même acheté une alliance quand sa grossesse était devenue apparente, afin d'éviter les regards curieux. En réalité, elle n'était pas mariée. Elle avait vécu quelque temps avec un type qui ne l'aimait pas et qui était parti.

Avec précaution, Del reprit :

— Alors, peut-être…

Melissa réprima une envie de mordre. Pourquoi ne la laissait-il pas en paix ? Puis elle se reprocha d'éprouver une telle irritation envers celui qui en avait tant fait pour elle.

— Je ne sais pas où il est.

Son époux l'avait-il abandonnée ? se demandait Del, incrédule. Comment un homme pouvait-il quitter sa femme au moment où elle allait mettre leur enfant au monde ? Il aurait aimé caresser le beau visage de Melissa, effacer le chagrin et la douleur qui plissaient son front. Mais il se l'interdit. Il n'en avait pas le droit.

— Nous pouvons le retrouver, dit-il doucement.

Melissa rétorqua avec violence :

— Je ne le souhaite pas. Et lui encore moins.

Comme les larmes commençaient à couler sur ses joues, elle maudit sa faiblesse. Elle en venait à détester ce policier qui réveillait sans le vouloir cette souffrance. Ne s'était-elle pas juré de ne plus jamais pleurer sur Alan, qui l'avait certainement déjà oubliée ? Mais elle était à bout.

Elle prit sa main et lui dit d'un ton suppliant :

— Je vous en prie ! Je ne veux pas lui parler.

Au contact de sa peau, Del se sentit devenir la proie d'une émotion passionnée, ardente. Il n'avait jamais rien éprouvé de tel avec les femmes qui avaient traversé sa vie. Avec Melissa, il se passait quelque chose de différent, d'unique. Sans doute cela provenait-il de l'intensité de ce qu'ils avaient partagé.

— D'accord. Nous ne lancerons pas un avis de recherche.

Pendant ce temps-là, Larry s'installait au volant de la camionnette pour les conduire à l'hôpital.

— Ne vous inquiétez pas, petite maman, lança-t-il à Melissa par-dessus son épaule. Nous y serons en un temps record. J'ai téléphoné au service de maternité pour leur annoncer notre arrivée. Ils prendront soin de vous et du bébé.

La jeune femme se tourna vers le grand brun agenouillé près d'elle, qui ne l'avait pas lâchée.

— Votre collègue a déjà pris soin de moi, fit-elle doucement.

Et soudain, une inexprimable fatigue la terrassa. Elle ferma les yeux et s'endormit.

Un quart d'heure plus tard, un brouhaha la réveilla. Des infirmiers donnaient des ordres, des mains s'emparaient d'elle pour l'allonger sur un brancard.

L'enfant n'était plus dans ses bras.

— Où est mon bébé ? cria-t-elle avec angoisse.

— Elle est là.

32

Le policier — Del — marchait à côté d'elle tandis qu'ils pénétraient dans le bâtiment de verre. Il lui désigna une puéricultrice, qui portait le nouveau-né.

— La petite va très bien, ajouta-t-il patiemment. On va s'occuper d'elle.

Rassurée par la voix de Del, elle referma les paupières.

Un infirmier surgit alors.

— A présent, elle est sous notre responsabilité, dit-il à Del.

Del se rendit compte qu'il avait repris la main de Melissa. Il la lâcha et regarda l'équipe médicale pousser le brancard vers un couloir.

Derrière lui, quelqu'un s'éclaircit la gorge. Une petite rousse, revêtue de l'uniforme du personnel administratif de l'hôpital, contemplait son torse nu avec gourmandise.

— Savez-vous, par hasard, si cette dame bénéficie d'une couverture médicale ?

En sortant de la camionnette, Del avait emporté le sac à main de Melissa. Il devrait pouvoir trouver là-dedans ce genre de renseignements.

Peut-être découvrirait-il aussi une photo du mari…

Il repoussa cette idée. Ce n'étaient pas ses affaires.

— Oui, oui, elle est assurée, affirma-t-il.

En réalité, il n'en savait rien, mais la jeune mère avait connu assez d'épreuves pour la journée. Si elle n'avait pas de sécurité sociale, il se débrouillerait pour prendre en charge les frais hospitaliers.

Sous l'œil curieux de Larry, Del ouvrit la petite besace. Même si Melissa traversait une période de turbulences, elle n'en avait pas perdu le sens de l'ordre et de la propreté. Son sac était bien rangé et ne contenait ni monnaie en vrac, ni mouchoir usagé ; seulement un peigne, un rouge à lèvres et un portefeuille.

A l'intérieur de ce dernier, Del découvrit quelques billets de banque soigneusement pliés, un permis de conduire et les papiers de la camionnette, assurée en Arizona. La jeune femme s'appelait Melissa Ryan.

— Voilà, dit-il en tendant le carton plastifié à l'employée.

Après avoir noté les renseignements, cette dernière s'autorisa de nouveau à admirer les épaules musclées de Del, avec un petit soupir. Del entendit Larry éclater de rire. Ce n'était pas la première fois qu'une inconnue posait sur Del un œil concupiscent. Elle lui sourit.

— Si vous voulez bien me suivre au bureau d'admission.

Melissa et le bébé, quant à elles, avaient disparu. Del tenta de se convaincre que son travail était terminé.

Il venait de relire la fiche de Melissa établie par l'hôpital quand Larry surgit derrière lui, un paquet à la main.

— Tiens, Del. J'ai demandé à Mahoney de t'apporter une chemise de rechange. Le chef n'aime pas trop voir ses hommes se balader torse nu pendant les heures de service.

— Cela ne me dérange pas, lança la rouquine.

Larry leva les yeux au ciel en riant.

— Ah, jeunesse ! Es-tu prêt à partir, Del ?

— Oui, j'ai fini.

Tout en se rhabillant, Del suivit son collègue vers la sortie.

Il s'arrêta soudain et se tourna vers l'employée.

— Pensez-vous que je pourrais la voir ?

— Elle a besoin de se reposer. Mais pour

une autre fois, les visites sont autorisées jusqu'à 20 heures.

Je reviendrai, se promit Del. Oh, il ne voulait que s'assurer qu'elle allait bien… Après tout, ce n'était pas tous les jours qu'il aidait une femme à accoucher.

Avec un soupir, Larry l'entraîna vers les portes.

— Viens, papa oie, je te reconduis à ta moto.

En sortant du bâtiment, Del s'avisa que la journée était magnifique. Il huma l'air iodé avec délice. Il se sentait heureux d'être en vie et se mit à rire.

Larry le considéra avec étonnement.

— Qu'est-ce qui te prend ?

— J'ai mis au monde un bébé, aujourd'hui.

Son collègue secoua la tête, un sourire moqueur aux lèvres.

Les draps étaient frais, l'air conditionné agréable. On lui avait servi un repas, une infirmière avait massé son dos endolori, une autre lui avait apporté l'enfant et la lui avait reprise quand la fatigue l'avait submergée.

Melissa était entourée, prise en charge.

Pourtant, elle ne s'était jamais sentie si perdue, si seule, de toute sa vie.

Et maintenant, que vais-je devenir ? se demandait-elle avec désespoir. Qu'allait-elle faire avec un bébé dans les bras ? Elle n'avait ni argent, ni travail, ni endroit où aller.

De nouveau, les larmes roulèrent sur ses joues. Elle les essuya d'un geste rageur, furieuse de s'effondrer ainsi. Cette faiblesse ne lui ressemblait pas. Elle avait toujours fait preuve d'optimisme, dans l'épreuve comme dans la joie.

Mais cette fois, elle avait l'impression d'être devant une barrière de hautes montagnes qui lui bloquaient la route. Elle devait surmonter ces obstacles mais elle n'en avait pas la force, elle était épuisée.

Un sourire amer lui vint. Alan avait réussi à saper son moral, à anéantir ses derniers espoirs. Elle touchait le fond.

Il l'avait quittée en emportant tout, sauf la camionnette. Ne lui avait laissé qu'une lettre de rupture.

Et un enfant.

Dans sa lettre, Alan lui expliquait qu'il avait besoin de prendre le large. Pour se justifier de partir avec l'argent, il affirmait aussi qu'elle s'en sortirait toujours grâce à son intelligence. Il ne s'était même pas donné la peine de lui souhaiter bonne chance. Comment avait-elle pu le croire amoureux d'elle ?

Si elle avait été intelligente, songea-t-elle avec tristesse, rien de tout cela ne serait arrivé. Elle aurait compris plus tôt que l'amour rendait aveugle, qu'il n'éprouvait rien pour elle…

Lorsqu'elle l'avait rencontré, en Georgie, il lui avait paru si merveilleusement insouciant. Il était beau, drôle, charmeur…

Mais la beauté d'Alan n'était qu'apparence.

Cet homme se cantonnait à la surface des choses, il était incapable de sentiments profonds. Si elle ne s'était pas éprise de lui à ce point, si être aimée n'avait pas été aussi important pour elle, elle s'en serait rendu compte.

Au loin, elle entendit le cri d'une mouette et se sentit plus seule encore.

Dieu, comme elle avait été bête !

Alan avait su lui faire prendre des vessies pour des lanternes, la convaincre qu'il incarnait le prince charmant. Quand elle lui avait annoncé sa grossesse, il avait semblé très content. Ils avaient fait des projets ensemble, la vie en rose les attendait. Il lui avait promis de l'épouser dès que « les choses iraient mieux » pour lui. Mais cela n'avait jamais été le cas…

Très vite, les désillusions avaient eu raison de l'optimisme de Melissa. Le soir, elle restait seule dans leur étroit studio, pendant qu'Alan sortait voir ses amis. Il avait toujours aimé s'amuser et n'avait pas l'intention de s'arrêter. A elle de se débrouiller.

Gagnée par un froid intérieur, la jeune femme tâcha de se ressaisir. Elle devait cesser de s'apitoyer sur son sort. C'était gaspiller son énergie.

Demain, se promit-elle, elle reprendrait ses esprits et réagirait. Il y avait forcément un moyen de retomber sur ses pieds. Elle refusait de finir comme sa mère, dans un asile.

A l'automne prochain, elle recommencerait à travailler. Elle n'avait le droit d'enseigner, normalement, qu'en Arizona, mais elle se débrouille-rait…

Elle soupira. A quoi bon tirer des plans sur la comète ? Septembre était loin. Et en attendant, il lui fallait nourrir deux bouches, trouver un toit…

Comment allait-elle s'en tirer ? Ses parents étaient morts depuis longtemps, son oncle et sa tante avaient trois fils à élever. Elle ne pouvait pas aller sonner chez eux, sa fille dans les bras, pour leur demander l'hospitalité.

Non, elle devait s'en sortir toute seule. D'une

façon ou d'une autre, elle trouverait une solution, il le fallait.

Mais elle n'avait personne vers qui se tourner. Et surtout pas ici. Un mois plus tôt, sans crier gare, Alan avait eu la lubie de quitter la Georgie pour la Californie. Il avait soi-disant des gens à y voir. Mais elle n'y connaissait personne.

La porte s'ouvrit soudain et un gros bouquet d'œillets apparut.

Puis Del.

3.

Lorsqu'il avait pris son service ce jour-là, Del ne pensait qu'à la fin de sa journée. Il s'était imaginé retourner chez lui, brancher l'air conditionné et allumer son poste de télévision pour suivre le championnat de base-ball. Et il s'en réjouissait d'avance.

Mais ses projets pour la soirée avaient été contrecarrés par les caprices du destin, qui l'avait placé au bon endroit au bon moment. Aux côtés de Melissa.

Aussi, au lieu de s'installer au volant de sa voiture de sport pour rentrer chez lui, il se doucha dans les vestiaires, troqua son uniforme contre des vêtements civils et se rendit chez le fleuriste. En pénétrant dans la boutique, il ignorait quelles fleurs il choisirait ; mais il tomba en arrêt devant les œillets. A la fois fragiles et résistants, simples et envoûtants, ils lui faisaient penser à la jeune femme. Il avait acheté tous ceux du magasin. La vendeuse avait confectionné un ravissant bouquet orné d'un magnifique ruban rose.

Del le posa avec précaution sur le siège passager et se dirigea vers l'hôpital. Tandis qu'il démarrait, il se demanda s'il n'en avait pas fait un peu trop. Il espérait surtout que Melissa serait heureuse de sa visite.

Assise sur son lit, elle était seule dans sa chambre.

Il ne se rappelait pas qu'elle était si jolie. Ses cheveux bruns flottaient sur ses épaules, ses traits fins soulignaient la jeunesse de son beau visage. En se souvenant qu'elle était mariée, son estomac se noua. Comment un homme avait-il pu l'abandonner ?

Son époux devait avoir perdu l'esprit.

Quand, en le voyant entrer, l'énorme bouquet dans les bras, les yeux de Melissa s'écarquillèrent de surprise, une étrange émotion s'empara de Del. La gorge serrée, les mains moites, il n'esquissa pas un geste pour lui tendre les fleurs ou les poser sur la table de nuit. Comme hypnotisé par son charme, il en oubliait le reste.

« Cesse de la fixer comme un imbécile et dis quelque chose », s'ordonna-t-il.

Hasardant un faible sourire, il lui lança :

— Vous m'avez l'air en forme.

Les compliments mettaient toujours Melissa mal à l'aise. Sa mère lui avait souvent répété que les flatteries n'étaient jamais sincères et que seuls les prétentieux les croyaient.

— Comme quelqu'un qui vient de mettre un enfant au monde, murmura-t-elle.

Il remarqua que son regard s'assombrissait. Etait-elle gênée ?

— Personne n'imaginerait que vous avez accouché ce matin dans de si difficiles conditions. Vous êtes resplendissante !

Comprenant qu'il le pensait vraiment, elle lui sourit. Il essayait d'être gentil, rien de plus. D'un air insouciant, elle haussa les épaules.

— L'infirmière m'a prêté sa trousse de maquillage.

Huit fois grand-mère, cette dernière avait déclaré à Melissa :

— Vous pomponner un peu va vous redonner le moral. Une jolie fille comme vous ne devrait pas avoir les yeux si tristes.

Melissa avait tenté de protester. Elle n'avait aucune envie de se faire belle. D'ailleurs, comment du mascara ou du blush auraient-ils pu modifier son humeur ? Mais la vieille femme avait insisté avec tant d'affabilité qu'elle avait fini par céder.

Sa beauté ne devait rien au fard, songeait Del. Pressé par l'urgence de la situation, il ne l'avait pas regardée avec attention dans la matinée. Et elle était alors terrifiée et défaite. A présent, il la voyait vraiment — et fondait complètement. Elle avait toujours l'air grave mais cela la rendait plus séduisante encore.

Elle est mariée, se rappela-t-il, tentant de rompre le charme.

Il s'aperçut soudain qu'elle fixait ce qu'il tenait. Ah oui, les fleurs ! Il était resté planté là, son bouquet à la main, comme un triple idiot... D'un geste gauche, il le lui tendit.

— Elles sont pour vous.

Des œillets. Depuis l'enfance, Melissa les adorait. Une année, sa mère en avait semé dans le jardin. Alan avait promis de lui en offrir pour leur mariage. A ce souvenir, des larmes piquèrent ses yeux.

S'éclaircissant la gorge, elle se força à sourire.

— Je vois ça, balbutia-t-elle avec nervosité.

— Je les mets là, reprit-il en commençant à les arranger dans un vase, sur la table de chevet.

Mais finalement, il résolut de les poser sur l'étagère.

— Elles seront mieux ici, dit-il. Cela vous permettra de garder à la mémoire notre épopée.

Il avait envie qu'elle se souvienne de lui, même si elle était l'épouse d'un autre. Il préféra ne pas se demander pourquoi, ce n'était pas le moment de s'interroger là-dessus. Il savait seulement que c'était très important pour lui. Sans doute était-ce la raison de son comportement stupide...

Avec douceur, elle caressa les pétales avant de humer le parfum des fleurs.

— J'ai déjà un souvenir...

Comme il la considérait d'un air étonné, elle précisa :

— Le bébé.

— Oui, bien sûr !

Au premier regard, Melissa avait craqué pour sa fille.

— Elle est ravissante, reprit-elle.

Avant de frapper à la porte de la jeune femme, Del était passé à la nursery.

— Comme sa mère.

Les mots étaient sortis naturellement de sa bouche mais le compliment parut choquer Melissa. Pourquoi ? se demanda-t-il. Belle comme elle était, elle avait dû en entendre souvent. Il était sincère et n'espérait rien en retour.

« Menteur », s'avoua-t-il. « Sois honnête avec toi-même : tu as envie qu'elle sache que tu la trouves ravissante, même si rien ne pourra jamais se passer entre vous ».

Devant la perplexité de Del, Melissa se reprocha sa réaction. Il cherchait seulement à se montrer amical.

Mais elle ne pouvait plus accepter les flatteries, désormais. Négligeant les avertissements de sa mère, elle avait fait confiance à un homme, avait cru ses promesses — et à présent, elle en payait le prix.

Alan ne cessait de la caresser dans le sens du poil et elle avait pris ses belles paroles pour argent comptant. La suite lui avait prouvé qu'elles n'avaient aucune signification pour lui.

Ses pensées revenaient toujours à celui qui l'avait trahie. Ce brave policier allait la prendre pour une empotée. « Ressaisis-toi et change de sujet », s'exhorta-t-elle.

— Aimeriez-vous la voir ? fit-elle, s'apprêtant à sonner l'infirmière.

— Je l'ai déjà vue.

A ces mots, Melissa laissa tomber le cordon. Il ne s'intéressait pas du tout à la petite. Pourquoi en serait-il autrement, d'ailleurs ? Pour lui, c'était un nourrisson comme tant d'autres. Les hommes ne se souciaient pas beaucoup des enfants. Son propre père avait toujours été trop occupé pour lui accorder la moindre attention. Il estimait que nourrir sa famille suffisait. Jusqu'au jour où il avait cessé de le faire.

En proie à un regain de fatigue, elle soupira.

— C'est vrai, vous étiez là à sa naissance.

« Sans doute est-il temps de prendre congé », pensa Del. Elle semblait lasse. Mais il avait tellement envie de la regarder encore…

— Non, je voulais dire que je suis passé lui faire un petit coucou en arrivant, expliqua-t-il. A la nursery.

Stupéfaite, elle le considéra un instant en silence.

— Vous vous êtes arrêté à la pouponnière ?

Pourquoi semblait-elle si étonnée ? C'était normal, non ? Quelque part, il était lié à ce bébé.

— Bien sûr. Pourquoi ne l'aurais-je pas fait ?

Décontenancée, Melissa secoua la tête.

— Je ne sais pas. Je ne l'aurais jamais imaginé.

Elle lui avait proposé de voir l'enfant parce qu'elle se sentait nerveuse en sa présence. La petite leur aurait fourni un sujet de conversation. Elle ne comprenait pas bien pourquoi il la troublait à ce point lorsqu'il la dévisageait. Ce n'était pas désagréable. Elle avait l'impression que quelque chose allait arriver. Cela dit, elle aurait été incapable de deviner quoi. Elle n'avait vraiment aucune raison d'espérer quoi que ce soit mais c'était pourtant le cas.

— Vous ne pensiez pas qu'elle m'intéressait ?

Parlait-elle sérieusement ?

— Comment ne pas fondre devant un petit être si mignon ?

A peine avait-il prononcé ses paroles qu'il regretta sa spontanéité. Il n'avait pas besoin de regarder Melissa pour savoir qu'il avait commis une bourde en lui rappelant que le père du bébé, lui, ne paraissait pas s'en préoccuper.

Très gêné, il bredouilla :

— Pardonnez-moi. Je... je ne comprends pas comment j'ai pu me montrer si indélicat.

L'embarras de Del lui fit oublier momentanément le sien. Avec un sourire, Melissa secoua la tête. Sa chemise de nuit s'entrebâilla, dévoilant une épaule d'albâtre. Consciente de son regard sur elle, elle réajusta le vêtement et se sentit soudain très femme.

— Vous n'avez fait preuve que de gentillesse, sergent. Vous n'avez rien à vous reprocher.

Il s'assit au bout du lit, tentant de ne pas prêter attention au fait que son corps n'était qu'à quelques centimètres du sien, recouvert d'un simple drap de coton.

— Après tout ce que nous avons traversé ensemble, le « sergent » me semble saugrenu. Appelez-moi Del.

Quand elle éclata de rire, il eut l'impression d'entendre une mélodie céleste. Les tensions parurent s'envoler. Il était évident que quelque chose vibrait entre eux et les mettait un peu mal à l'aise. Pourtant, ni l'un ni l'autre n'avaient envie d'abréger leurs retrouvailles.

— D'accord, Del.

La manière dont elle prononçait son prénom le troubla. Il voulait oublier qu'elle était mariée. « Notre conversation est d'ailleurs totalement innocente », se dit-il, tout en sachant que ce n'était pas vrai.

« Pense au bébé ». Oui, mieux valait s'aventurer sur un terrain moins dangereux. Pour lui, en tout cas.

— Avez-vous trouvé un nom pour votre fille ?

A ces mots, un sourire timide se peignit sur les lèvres de Melissa.

— Della.

— Vous l'avez appelée comme moi ! s'écria-t-il, surpris d'en être à ce point ému. Vous lui avez donné mon prénom !

Devant son air ravi, elle s'en félicita.

— Ce n'était que justice. Sans vous, je ne sais pas si j'aurais réussi à la mettre au monde.

« Elle a des yeux superbes », songea Del. Bruns et chauds comme du chocolat. Le chocolat avait toujours été son péché mignon.

— Pourquoi vous rendiez-vous seule à l'hôpital ? lança-t-il soudain.

De nouveau, elle se raidit. Elle n'avait pas envie d'y penser, de revenir à ce qui s'était passé, ni à ce qui l'attendait par la suite.

— Parce que je n'avais personne à qui demander de m'y conduire.

Del insista.

— Personne ?

Evitant son regard, elle répondit.

— Personne.

Il ne pouvait le croire. Elle avait au moins une amie ou une voisine qui aurait pu lui rendre ce service !

Melissa releva le menton. Si elle voulait retrouver la maîtrise de sa vie, il lui fallait affronter la réalité

50

en face. Et elle le devait. Della n'avait qu'elle pour prendre soin d'elle.

— En fait, nous… je suis arrivée depuis peu dans la région. Je n'y connais encore personne.

Del mesura à quel point cette solitude avait dû être terrible pour elle. Pour sa part, il avait toujours été très entouré.

— Qui va vous aider quand vous allez rentrer chez vous ?

« Chez moi ? Qui a dit que j'avais un chez-moi ? »

— Je ne compte que sur moi.

Se rendant compte qu'elle avait répondu sèchement, elle reprit avec un sourire d'excuse :

— Et je ne suis pas sûre d'avoir un endroit où aller quand je sortirai d'ici…

A ces mots, la timidité de Del s'envola.

— Vous n'avez pas de logement ?

La manière dont il la dévisageait gênait Melissa. S'il ne cessait pas très vite de l'interroger, elle allait fondre en larmes. Elle ne voulait pas de sa pitié.

— Je vis actuellement à l'hôtel. Nous étions censés… déménager hier.

Sur le point de dire « nous marier », elle s'était interrompue à temps. La honte l'empêchait d'avouer la vérité. Il n'avait pas à savoir qu'elle était mère célibataire. Elle n'avait pas envie qu'il la considère comme une moins-que-rien, comme une SDF.

— Parlez-moi de votre mari, reprit Del avec douceur.

Sans s'en rendre compte, il avait posé sa main sur la sienne.

Mais elle en était consciente. Un bref instant, elle en éprouva un profond réconfort.

— M'interrogez-vous dans le cadre de vos fonctions ?

Elle semblait pétrifiée, tout à coup.

— Non, non, je vous le demande comme un ami.

— Un ami ? fit-elle comme s'il lui parlait dans une langue étrangère.

Voilà longtemps qu'elle n'avait eu personne auprès de qui se confier. Depuis un an, Alan l'obligeait à voyager sans cesse et elle n'avait pas réussi à lier connaissance. Lui, par contre, fraternisait beaucoup avec des piliers de bar — tandis que Melissa l'attendait, seule, des heures durant.

Del lui offrait son amitié. Pour être franc, il espérait davantage mais, dans l'immédiat, il ne se sentait pas le droit de lui proposer autre chose.

— Oui, vous pouvez me considérer comme tel.

52

— Les amis savent quand il vaut mieux ne pas poser de questions…

— Pas toujours.

Elle soutint son regard.

— Et s'ils vous demandent instamment de vous en abstenir ?

Del haussa les épaules.

— Alors bien sûr, j'obtempère.

Cela dit, il avait bien l'intention de revenir sur le sujet…

Autant admettre qu'il comptait la revoir. Hum, il examinerait un autre jour les raisons de cette certitude. Pour l'heure, un autre souci le préoccupait.

— Dites-moi… où avez-vous l'intention d'emmener mon homonyme, quand vous partirez d'ici ? s'enquit-il avec une décontraction qu'il était loin d'éprouver.

Pouvait-elle compter sur l'aide de sa famille ? Il redoutait que ce ne soit pas le cas.

— Où ? répéta-t-elle.

Depuis qu'elle était arrivée à l'hôpital, elle avait beau tourner en tous sens cette question dans sa tête, elle n'avait pas encore trouvé de réponse. Elle ne pouvait pas prolonger son séjour à la maternité, son assurance ne couvrait que deux jours. Alors elle se torturait les méninges. En vain.

Elle se rendit compte qu'il attendait et balbutia :

— Eh bien, pour commencer… je retournerai à l'hôtel chercher mes affaires.

Alan ne lui avait laissé que la camionnette et une valise de vêtements. Et sa collection de disques. C'était tout ce qui lui restait de son enfance. Elle avait passé des heures à écouter en boucle ces quarante-cinq tours. Heureusement, la chambre avait été payée pour une semaine.

— Et ensuite ? fit Del dans un souffle, sentant d'instinct qu'elle risquait de se refermer comme une huître.

« Je n'en sais rien », pensa-t-elle impatiemment.

— Vous recommencez votre interrogatoire, Del…

Il préféra feindre de ne pas remarquer la sécheresse de sa voix.

— Il est difficile de discuter avec une inconnue sans poser de questions…

Malgré elle, elle sourit. Il savait bien retomber sur ses pieds. Bah, elle était capable de jouer à ce petit jeu.

— Je pensais que vous me considériez comme une amie, pas comme une inconnue.

— Plus on en apprend l'un sur l'autre, plus l'amitié est forte.

— Pas toujours. Se montrer indiscret est une forme de mépris.

— Est-ce ce que vous éprouvez ?

« Je vous en supplie, laissez-moi seule ».

— Je croyais vous avoir prié de ne pas m'interro…

— Désolé, cela m'a échappé. En réalité, j'espérais que vous ne vous en apercevriez pas, ajouta-t-il avec un sourire penaud.

Il la désarmait complètement.

— Vous êtes certainement très bon policier.

— C'est vrai, répondit-il sans fausse modestie. Mais revenons à vous.

— Je préfère ne pas parler de moi. Je vous en prie.

Devinant qu'il n'obtiendrait rien d'elle de cette manière, Del s'interdit de continuer sur ce terrain. Mais ce n'était pas simple. Il n'était pas du genre à ronger son frein. Dans la vie, il agissait toujours avec vivacité et spontanéité.

— A votre avis, les Angels ont-ils une chance de remporter leur match ?

Melissa s'accouda sur son oreiller et se mit à rire.

— Je n'en ai pas la moindre idée.

Il aimait l'entendre rire. Elle n'en avait sans doute pas souvent l'occasion. Il se pencha vers elle.

— Avez-vous envie d'en apprendre davantage sur moi ?

Melissa releva la tête. Elle faillit répondre par la négative mais la curiosité fut la plus forte.

— D'accord, dites-moi tout sur vous.

— Je viens d'une famille d'origine italienne. J'ai quatre frères et une sœur. Kathleen s'est toujours sentie supérieure.

— Vraiment ?

Pour sa part, elle aurait adoré être entourée de cinq frères pour l'asticoter et veiller sur elle.

Il hocha la tête.

— Oui, elle prend son rôle de sœur très au sérieux.

La fratrie était très unie et chacun savait pouvoir compter sur les autres.

Sentant l'intérêt de Melissa, il s'empressa de poursuivre :

— J'ai conduit ma première moto à six ans.

— Et votre mère vous a laissé faire ?!!

Même la sienne, qui ne s'était pourtant jamais

56

beaucoup souciée d'elle, l'en aurait empêchée. Non. Nora Ryan avait cessé de s'occuper d'elle quand elle avait eu huit ans. Lorsque son mari était parti.

Del souriait.

— Elle l'ignorait. C'était celle de mon oncle Joe. Il m'avait emmené faire un tour. J'avais la plage à ma droite, la route devant moi, c'était super ! Ce fut le début d'une grande passion.

— Et c'est pourquoi vous êtes devenu motard ?

— Oui, c'était le seul métier à moto qui convenait à maman.

— Est-ce important pour vous de la satisfaire ?

Elle ne l'aurait jamais imaginé mais cela donnait au jeune homme une dimension nouvelle.

Comme sa chemise de nuit s'entrebâillait de nouveau, il perdit un instant le fil de la conversation. Mais il se reprit.

— Très important.

Si, à certaines époques, il avait trouvé sa mère un peu envahissante, il la chérissait et le reconnaissait bien volontiers. Il admirait beaucoup Gina Santini.

Sa réponse toucha Melissa.

— J'espère que ma fille éprouvera la même chose à mon égard un jour.

Comment quelqu'un aurait-il pu ne pas aimer cette femme ? se demanda-t-il. Puis il se souvint de son mari.

— Si ce n'est pas le cas, envoyez-la-moi, je la remettrai sur le droit chemin, repartit-il avec un clin d'œil.

Ce petit signe complice la fit fondre. Personne n'aurait pu y résister, se dit-elle pour tenter de minimiser sa réaction. Comment pouvait-elle se sentir aussi bien auprès d'un homme qu'elle connaissait à peine ?

— J'ignore où je vivrai alors, murmura-t-elle. Ou même dans deux jours.

Quand elle releva la tête, elle vit qu'il la fixait avec intensité. Un horrible sentiment de solitude la submergea. Son abattement venait-il des bouleversements hormonaux liés à l'accouchement ou subissait-elle le contrecoup du départ d'Alan ?

En tout cas, elle se sentait très, très vulnérable. Elle avait cru qu'elle ne voulait pas de sa sympathie et peut-être n'en aurait-elle effectivement pas envie dans les heures suivantes. En cette minute, elle avait terriblement besoin de ces yeux bleus chaleureux qui la sondaient comme s'ils étaient à même de lire son âme.

— Je n'ai pas d'argent ni d'endroit où aller, avoua-t-elle enfin.

Elle s'humecta les lèvres, essayant de sauver la face.

— Vous êtes policier. Peut-être pourriez-vous m'indiquer les coordonnées des services sociaux…

S'il retrouvait le bâtard qui l'avait abandonnée !

Del reprit ses esprits. Les idées de vengeances n'aideraient personne. Hélas, il ignorait à qui adresser Melissa. Mais Kathleen le saurait certainement…

— Je vais me renseigner. Et je vous le dirai demain.

Melissa continua de sourire mais elle était sûre et certaine qu'il ne reviendrait pas. Elle ne représentait rien pour lui. Elle ne comprenait déjà pas très bien pourquoi il était passé, même si sa visite lui avait fait plaisir. Il émanait de lui quelque chose d'incroyablement rassurant. Il la réchauffait comme un feu.

— D'accord, à demain…

A sa voix, à son regard, il comprit qu'elle prenait de nouveau ses distances. Elle ne le croyait pas.

D'ailleurs pourquoi lui aurait-elle fait confiance ? Son mari lui avait juré de l'aimer éternellement, de la chérir, et il s'était volatilisé…

« Ne juge pas sans savoir », se reprocha Del. Il ne connaissait pas les détails de l'histoire et peut-être cet homme bénéficiait-il de circonstances atténuantes.

Puis il regarda le visage de Melissa. Aucune circonstance atténuante ne l'aurait poussé à la quitter.

Del sut alors ce qu'il allait faire.

A demain, répéta-t-il.

4.

Del avait au moins dix bonnes raisons de renoncer à ce qu'il avait l'intention de proposer à Melissa. Gina Santini, qui avait tenté d'inculquer à ses enfants quelques principes de bon sens, l'aurait traité de fou. Mais elle leur avait aussi appris la compassion et les avait toujours poussés à se mettre à la place des autres. Et quand Del se glissait dans la peau de Melissa, il ne voyait qu'une solution pour lui venir en aide.

Pourtant, il ne souffla mot de son idée à Melissa, afin de se donner le temps d'y réfléchir sérieusement.

Quand l'infirmière vint l'informer que l'heure des visites était passée depuis plus d'une demi-heure, il quitta enfin la chambre de la jeune femme.

Même si elle se contenta de le remercier d'être venu, Del lut dans ses yeux que son départ l'attristait. Et cela le conforta dans son opinion.

Une bonne partie de la nuit et toute la journée du lendemain, il pesa le pour et le contre du projet qu'il avait à l'esprit. Cependant, dès le départ, il avait su qu'il irait jusqu'au bout. Toute sa vie, il avait fonctionné à l'instinct. Et il n'avait jamais eu à le regretter.

Lorsqu'il poussa la porte d'un magasin de jouets pour y acheter un gros nounours, sa décision était prise.

Mais peut-être Melissa refuserait-elle son offre…

Melissa gardait les yeux rivés sur la porte. Chaque fois qu'elle entendait du bruit dans le couloir, elle relevait la tête, s'attendant à la voir s'ouvrir. Mais il s'agissait toujours d'une infirmière, d'un interne ou d'une femme de ménage.

Jamais de Del.

Se reprochant sa tendance incurable à prendre ses rêves pour la réalité, elle poussa un gros soupir. Elle n'avait absolument aucune raison de croire que cet homme lui rendrait une seconde visite, même s'il le lui avait promis. Il l'avait dit par simple politesse, cela ne signifiait rien pour lui…

Agacée, elle repoussa le drap de coton et se mit sur son séant. Depuis le début de la matinée, elle était passée à plusieurs reprises dans la pouponnière et avait longuement regardé dormir sa fille, puisant du courage dans cette bouleversante vision. Elle était bien décidée à être forte. Il le fallait…

Quelqu'un frappa et elle retint son souffle.

Ce n'était que la puéricultrice, Della dans les bras.

— Voici votre princesse.

— Elle a de nouveau faim ! s'exclama-t-elle, étonnée.

— Vous savez, à cet âge, les nouveau-nés sont toujours affamés. A tout à l'heure.

Quand elle fut sortie de la pièce, Melissa consulta sa montre.

Pourquoi lui avait-il promis de revenir s'il n'en avait jamais eu l'intention ?

Pour l'amour de Dieu, grandis un peu, Melissa ! Personne ne pense ce qu'il dit ! Personne !

Elle n'était rien pour lui. Certes, il l'avait aidée à un moment important mais il l'avait certainement oubliée, à présent. Il menait sa vie.

Et elle ferait bien de suivre son exemple.

— Il ne va pas revenir et ta maman est stupide de penser le contraire, dit-elle à sa fille. Mais toi, tu pourras toujours compter sur moi… Je ne te raconterai jamais d'histoires.

Tendrement, elle serra son bébé contre son cœur, envahie par une douce chaleur. Ce petit être était sa vie. Il lui incombait de trouver le moyen de l'élever dans les meilleures conditions possibles. Quand elles quitteraient l'hôpital, il lui faudrait d'abord dénicher un logement décent.

Peut-être le directeur de l'hôtel accepterait-il de lui laisser la chambre jusqu'à ce qu'elle trouve du travail et puisse ainsi le rembourser. Elle revit son visage fermé. Hum. Elle se faisait des illusions...

Bah, il y avait sûrement dans la région un centre d'accueil pour les mères célibataires démunies. Elle n'avait besoin d'aide que temporairement, le temps de se retourner. Après tout, elle ne manquait pas de volonté, ni de courage. Elle avait...

Un ours en peluche géant entra soudain dans la chambre.

Surprise, Melissa s'écria :

— Del ?

Il perçut le doute et l'espoir dans ce cri. Le visage toujours dissimulé derrière l'énorme nounours, Del répondit :

— Bravo.

Elle avait envie de rire, de pleurer, de l'embrasser.

— Que tenez-vous dans vos bras ?

— Ça ne se voit pas ?

— Si mais…Santini, les bébés ont besoin d'ours à leur taille. Le vôtre est dix fois plus grand qu'elle.

Elle l'appelait par son nom de famille afin de maîtriser son trouble. Mais elle éprouvait une affection sans bornes pour ce garçon. Il était vraiment adorable.

— Justement, répliqua-t-il. Elle va grandir et ce nounours lui servira d'exemple.

Posant la peluche près de la fenêtre, il se pencha sur le bébé. D'après le témoignage des jeunes pères de son entourage, tous les nouveau-nés étaient affreux à la naissance. Dotés d'une grosse tête, d'un visage rouge et fripé, de rares cheveux, ils ressemblaient à de vieux nains édentés. Seules leurs mères les trouvaient beaux. Il l'avait entendu dire tant de fois qu'il avait fini par le croire.

Or il était émerveillé par la beauté de la petite Della. Avec son épaisse chevelure, ses traits fins et ses grands yeux étonnés, elle était ravissante comme un bouton de rose prêt à éclore.

Une indicible émotion s'empara de lui. Un mélange d'amour, de fierté, de joie. Avec un grand sourire, il caressa tendrement sa menotte.

— Bonjour, ma jolie. Te souviens-tu de moi ?

Della ouvrit ses grands yeux bleus et le fixa avec intensité avant de retomber dans le sommeil.

— Elle est épuisée, dit Melissa, en tâchant de dissimuler à quel point cette scène l'avait touchée.

Elle ne pouvait pas risquer un autre échec sentimental. Cela la détruirait.

Del leva la tête et sourit.

— Une fille n'oublie jamais le premier homme qui l'a tenue dans ses bras.

Comme la veille, il s'installa au bout du lit.

Soulagée, rassurée, Melissa s'autorisa à savourer ce petit moment de bonheur. Tant qu'elle gardait à l'esprit que ce bien-être n'était que temporaire, tout irait bien. Mais elle commettait toujours l'erreur de croire qu'il pouvait durer...

— Vous semblez expert en la matière...

Il multipliait certainement les conquêtes. Il était si beau ! Toutes les femmes devaient succomber à ses avances.

D'un air innocent, il sourit :

— Je lis beaucoup.

Quelque chose se serra dans le cœur de Melissa. Elle n'arrivait plus à détourner les yeux.

— A propos de lecture, avez-vous eu la possibilité de...

Dieu, comme elle détestait solliciter les autres !

— M'intéresser à votre problème ? finit-il à sa place. Oui.

Une fois qu'il se serait dévoilé, il ne pourrait plus revenir en arrière.

Melissa détestait être obligée de se comporter en assistée. Toute sa vie, elle avait espéré réussir à la seule force de ses poignets et fait confiance à sa bonne étoile. Hélas, elle devait se rendre à l'évidence. Elle avait besoin d'aide. Della avait besoin d'aide.

— Avez-vous trouvé les coordonnées de services sociaux ?

— Oui, il s'agit d'une association bénévole de policiers.

Comme elle fronçait les sourcils, il se hâta d'ajouter :

— En fait, elle ne comporte qu'un seul membre pour le moment.

— Vous ?

— Moi.

Seule la présence de la petite Della empêcha Melissa de hurler. Il devait être complètement fou.

Del ne parvenait pas à déterminer si elle était

surprise ou furieuse. Il s'efforça de prendre un ton rassurant.

— Vous pouvez rester chez moi jusqu'à ce que vous soyez retombée sur vos pieds.

Croyait-il qu'elle était prête à tout et à n'importe quoi parce qu'elle traversait une période difficile ?

Jugulant la colère qui la gagnait, elle regarda l'ours en peluche géant près de la fenêtre. Un homme qui s'intéressait à un bébé qui n'était même pas le sien n'était certainement pas un obsédé opportuniste, se dit-elle.

Puis elle le regarda en face. Non, il n'avait rien d'un sale type. Il se trompait simplement d'adresse.

Elle secoua la tête.

— Ce n'est pas possible.

C'était exactement ce qu'il avait craint. Elle pensait qu'il cherchait à abuser d'elle.

— Ce n'est pas ce que vous croyez, dit-il.

— Non ?

La manière dont elle le dévisagea déstabilisa Del.

— J'ignore, bien sûr, la teneur de vos réflexions mais… je n'ai aucune arrière-pensée tordue, soyez-en certaine.

Il n'était qu'à quelques centimètres de son visage,

et Melissa sentit un frisson lui parcourir l'échine. Inquiète, elle recula.

— Vous faites ça souvent, Santini ?

— Non, reconnut-il avec un haussement d'épaule, en s'évertuant à cacher sa frustration croissante.

Bon sang ! Elle avait besoin d'un toit, alors pourquoi déclinait-elle son offre ? Il était un homme bien et ne cherchait pas à l'attirer dans un traquenard. Certes, elle lui plaisait et il se réjouissait de vivre quelque temps avec elle, mais...

— Je n'avais jamais mis un bébé au monde non plus. Je possède une maison, ajouta-t-il, sentant qu'elle faiblissait. En fait, je la partageais avec mon frère mais il s'est marié l'année dernière et je lui ai racheté sa part.

— Je ne savais pas que les policiers étaient riches, dit-elle d'un air suspicieux.

— J'ai contracté un emprunt, évidemment. Je paie mes traites chaque mois. Certaines personnes me font confiance.

Il lui inspirait également confiance. Pas complètement, bien sûr — elle ne pourrait plus jamais suivre aveuglément quelqu'un —, mais assez pour le croire sincère et sans malice.

Son amour-propre, toutefois, lui interdisait d'accepter.

69

— Je préfère faire appel aux services sociaux. Ne le prenez pas mal, ce n'est pas personnel…

Un instant, Del contempla Della.

— Nous sommes unis par des liens d'amitié, vous vous en souvenez ? fit-il en se retournant vers Melissa.

Le mot la réconforta, elle aurait vraiment aimé avoir un ami comme lui.

— Mais vous ne me connaissez pas…

— Ce n'est pas faute d'avoir essayé ! Vous êtes une femme très secrète, admettez-le. Enfin, le bébé se chargera de remplir les silences…

Il avait envie de tenir Della dans ses bras, de sentir cette petite vie battre contre son cœur. Pour cela, il lui fallait d'abord convaincre Melissa de sa bonne foi.

Déchirée, elle était tentée d'accepter. Si elle n'avait pas autant appréhendé la suite des événements et sa réaction face au jeune homme…

— Je ne peux pas.

Il la considéra avec calme. Ne voyait-elle pas qu'elle n'avait pas le choix ?

— Et pourquoi pas ? Vous n'avez nulle part où aller, ni argent, vous l'avez dit vous-même.

— Je ne veux pas de votre charité, répliqua-t-elle.

Ainsi, son refus était dicté par son orgueil.

— Vous étiez prête à vous tourner vers les services sociaux, remarqua-t-il. D'ailleurs, qui parle de charité ? Il s'agit d'un coup de main provisoire, amical.

Plantant ses yeux dans les siens, elle lui lança :

— Qu'avez-vous exactement à l'esprit ?

« Si je le savais… »

— Vous me rembourserez quand vous aurez retrouvé du travail, si vous le souhaitez.

Il ne comprenait pas. Les hommes comme lui n'existaient pas dans la vraie vie.

— Pourquoi faites-vous cela ?

— Parce que je ne veux pas que mon homonyme se retrouve à la rue ou dans un centre d'accueil sordide.

Les yeux de Melissa s'écarquillèrent. Elle n'y avait pas pensé.

— Est-ce vraiment la raison de votre proposition ?

— Bien sûr. Vous a-t-elle fait peur ?

— Oui.

Levant la main droite, il jura.

— Si c'est cela qui vous inquiète, je vous donne ma parole de scout que vous n'avez rien à craindre de moi. Je vous laisserai le numéro de téléphone de ma mère. Si je ne me conduis pas bien, vous pourrez l'appeler.

Elle se mit à rire, et Della ouvrit les yeux pour les observer. Devinant le désir de Del, Melissa lui tendit le bébé. Fascinée, elle le regarda bercer la petite comme s'il avait pouponné toute sa vie.

— Vous êtes vraiment unique.

Comme la petite fille s'emparait de son doigt, il lança :

— Cela signifie-t-il que vous êtes partante ?

Elle frissonna.

— Je n'ai guère le choix…

En souriant, il soutint son regard.

— En effet.

Et ils se serrèrent la main pour sceller leur accord.

Avec un soupir, Melissa consulta l'horloge murale de sa chambre. Il était 3 heures moins le quart. Si elle ne voulait pas se voir facturer une journée supplémentaire (qu'elle n'avait pas les moyens de payer), elle devait quitter l'hôpital dans dix minutes au plus tard.

La puéricultrice lui avait apporté Della. Elles étaient prêtes à partir.

Mais Del n'était pas là...

Elle aurait dû s'en douter.

— Il a sans doute préféré en rester là, dit-elle au bébé. Et ne pas tenir sa promesse.

Elle inspira profondément. Tout irait bien, elle s'en sortirait. Elle s'était déjà retrouvée seule auparavant. Et maintenant, elle ne l'était pas complètement. Della était avec elle.

— Ne crois jamais personne, Della. Sauf moi. Je ne te raconterai jamais d'histoire.

Elle se dirigea vers la fenêtre. Ce jour-là, le ciel était brumeux, et elle distinguait à peine les bateaux sur l'océan. Mais elle savait qu'ils étaient là, même si elle ne les voyait pas. Comme les solutions à ses problèmes.

— Nous allons devoir nous débrouiller toutes les deux, chérie. Et nous y arriverons, d'une façon ou d'une autre.

Hélas, dans l'immédiat, elle ne voyait vraiment pas comment.

L'infirmière entra.

— Quelqu'un vient-il vous chercher ? s'enquit-elle en poussant un fauteuil roulant.

— Non, je... A quoi sert ce truc ?

— Les assurances l'exigent. Nous ne pouvons

pas prendre le risque qu'une de nos patientes se blessse dans nos murs. Vous êtes encore faible.

« Dans tous les sens du terme », songea Melissa avec amertume.

Manifestement, son interlocutrice était contrariée que la jeune mère s'en aille seule.

— Je vais donc vous appeler une voiture…

Melissa secoua la tête. Elle n'avait pas les moyens de prendre un taxi. D'ailleurs sa camionnette se trouvait toujours sur le parking de l'hôpital.

— Merci mais ça ira, je suis motorisée, fit-elle.

A ces mots, la vieille femme fronça les sourcils.

— Dans votre état, je vous déconseille totalement de…

— Dans tous les domaines, je ne suis pas un exemple à suivre, mais je n'ai pas le choix.

Elle tenta de sourire. Le cœur n'y était pas. Aussi s'installa-t-elle dans le fauteuil, Della dans les bras.

Visiblement, l'infirmière n'appréciait pas la situation. Elle regarda la porte comme si elle souhaitait que quelqu'un apparaisse et prenne Melissa sous son aile.

— Attendez, j'emballe d'abord vos fleurs.

Ses œillets, les fleurs qu'il lui avait offertes. Elle ne voulait pas les regarder se faner comme ses espoirs.

— Inutile. Jetez-les.

— Et le nounours ?

Melissa s'apprêtait à lui demander de le laisser là où il était mais n'en fit rien. Cet ours n'était pas à elle mais à Della. Et sans doute ne pourrait-elle pas en offrir un autre à sa fille avant un bon bout de temps.

— Je l'emporte.

— Je m'en charge, intervint alors une voix virile. Et du bouquet aussi.

Stupéfaite, Melissa vit Del, encore en uniforme, entrer dans la chambre. A en juger par son essoufflement, il venait de grimper l'escalier quatre à quatre.

— Désolé d'être en retard. Un cambriolage a été commis dans une bijouterie juste à la fin de mon service. Cet imbécile de cambrioleur n'a pas eu la délicatesse d'attendre que je ne sois plus dans les locaux de la police.

A la vue du soulagement qu'exprimaient les traits de Melissa, il s'arrêta net :

— Vous pensiez que je ne viendrais pas ?

— Non, je…

75

Elle mentait. Elle avait cru qu'il la laisserait tomber. Elle ne lui faisait pas encore confiance. Il lui faudrait un peu de temps… Mais ils y arriveraient, se dit-il, réprimant sa déception.

Il promena les yeux autour de lui pour éviter à la jeune femme de chercher à se justifier.

— Nous avons tout ?

— Je n'avais rien emporté, lui rappela-t-elle. Mis à part mon sac. Je n'ai donc à prendre que la petite valise pour le bébé, offerte par l'hôpital.

Dans cette boîte se trouvaient du lait en poudre, des couches, un peu de tout ce dont une nouvelle mère avait besoin pour s'occuper quelques jours du nouveau-né avant que son mari n'aille lui acheter le nécessaire.

A condition, évidemment, qu'il y ait un mari dans le paysage…

Tandis que Del casait la valise sous son bras, le côté pratique de Melissa refit son apparition.

— Et ma camionnette ?

Del ne pouvait pas conduire deux véhicules en même temps.

— J'y ai pensé. J'ai demandé à un de mes collègues de la ramener chez moi ce matin.

— Mais comment a-t-il fait ? J'ai les clés dans mon sac.

Il se mit à rire. Sa naïveté l'enchantait.

— Je sais m'en passer…

— On vous l'apprend à l'école de police ? s'enquit-elle, incrédule.

— Non, je conduisais la voiture de ma mère quand j'avais quinze ans. Pas toujours avec son accord…

Elle secoua la tête.

— Vous étiez un vrai chenapan !

Pourtant, à présent, il était adorable !

— Selon elle, je suis à l'origine de tous ses cheveux gris.

— Vous m'avez dit avoir des frères et sœurs, non ?

— Quatre enfants de chœur et une sainte. Je suis le seul à lui avoir donné du fil à retordre.

Elle ne pouvait le croire.

— En grandissant, vous vous êtes donc complètement métamorphosé.

— Ma mère ne partage pas cette opinion. On y va ?

— Tout le monde n'a pas la chance de bénéficier d'une escorte de police en quittant l'hôpital, fit l'infirmière en riant tandis que Del aidait la jeune mère à s'installer dans la voiture.

Etonnée, Melissa considéra le véhicule.

— Je croyais que vous étiez en moto.

— Je ne pouvais pas vous ramener dessus avec le bébé. Aussi l'ai-je échangée contre la voiture de patrouille de Larry.

— Larry ?

Elle se rappelait vaguement de ce prénom.

— Mon collègue qui a pris le volant pour nous conduire à l'hôpital, l'autre jour. J'aimerais le voir sur une Harley.

Larry n'avait pas le profil du motard.

L'infirmière referma la portière et se tourna vers Del.

— Je vous souhaite ainsi qu'à votre femme tout le bonheur du monde, sergent.

— Merci.

Melissa ouvrit la bouche mais il démarra avant qu'elle n'ait pu corriger la vieille dame.

5.

Consterné, Del embrassait du regard la chambre d'hôtel sombre et sordide. La peinture jaune des murs s'écaillait, l'ameublement était hideux, la moquette rapiécée. Une odeur aigre flottait dans l'air et la porte avait été fracturée. L'endroit n'offrait aucune protection et il se félicita de sortir Melissa de ce taudis.

— C'est donc ici que vous viviez ?

Malgré ses efforts, la répugnance teintait sa voix et Melissa la perçut. Mais à quoi bon chercher à dissimuler la situation derrière un amour-propre mal placé ? Elle lui tendit Della et tira sa valise en carton de sous le lit.

— Nous n'avions pas les moyens d'aller ailleurs. Nous tirions le diable par la queue.

En réalité, Alan vivait à ses crochets depuis des mois. Mon Dieu, quelle idiote elle avait été !

Del la regarda ouvrir un petit placard. Il contenait peu de vêtements.

— Quel métier exerçait votre mari ? s'enquit-il.

Sur le point de lui avouer qu'Alan et elle n'avaient jamais convolé en justes noces, elle se tourna vers lui. Elle détestait mentir. Pourtant, un instinct d'autoprotection l'empêcha de révéler à Del la vérité. S'il la croyait mariée, tout risque de complications sentimentales était écarté. Plus que de lui, elle se méfiait d'elle-même. Elle avait déjà commis tant d'erreurs !

Avec soin, elle décrocha quelques robes et les plia.

— Ces temps derniers, il ne faisait rien.

Elle lui cachait quelque chose, il le devinait à la manière dont elle détourna les yeux pour lui répondre.

— Pourquoi l'avez-vous épousé ?

A ces mots, un sourire triste se dessina sur les lèvres de Melissa.

— Parce que je vivais dans un rêve. Je croyais aux contes de fées, au prince charmant, aux sentiments éternels… A l'époque, je n'avais pas grand-chose dans le crâne.

80

Il aurait volontiers étranglé son mari pour le punir de lui avoir fait tant de mal.

— Pour ma part, j'ai entendu dire que l'amour était de retour.

Comme Della commençait à s'agiter dans ses bras, il la berça doucement.

Il était très gentil avec la petite, remarqua Melissa. Quel dommage qu'il ne soit pas le père de Della, au lieu de l'irresponsable qui l'avait conçue !

D'un geste sec, elle ferma sa valise.

— Je ne suis pas au courant. Voilà, j'ai terminé.

Il la regarda d'un air incrédule. Pour partir en vacances, deux mois plus tôt, il lui avait fallu cinq gros sacs !

— C'est tout ?

— Je voyage léger, expliqua-t-elle sobrement.

Avec précaution, il lui rendit la petite.

— Très grande qualité.

Ce commentaire arracha un sourire à Melissa.

— Vous prenez toujours tout du bon côté, n'est-ce pas ?

— Mon optimisme forcené fait partie de mes défauts.

Quand il souleva son unique bagage, il s'aperçut

qu'il pesait un bon poids, malgré le peu de vêtements qu'il contenait.

— Qu'avez-vous mis là-dedans ? Une
enclume ?

— Des quarante-cinq tours, toutes mes chansons
préférées. J'ai du mal à choisir.

Del se dirigea vers la porte.

— Bien, à présent, abandonnons ce palace pour
mon humble demeure…

Surprise d'éprouver tant de joie à quitter cet
endroit et les souvenirs qui y étaient attachés, elle
le suivit.

— Vous ne croyez pas si bien dire. L'hôtel
facture les chambres comme s'il s'agissait d'un
quatre étoiles.

Sur le parking, comme Del ouvrait le coffre de
sa voiture, il remarqua soudain un homme qui
les observait, derrière le rideau d'une fenêtre. Le
gérant devait craindre les départs précipités.

— Avez-vous réglé votre note en totalité ?

— J'ai payé jusqu'à la fin de la semaine… C'est-à-
dire aujourd'hui, se rendit-elle compte soudain.

Il claqua le hayon.

— On peut dire que nous sommes synchro !

Une lueur brillait dans ses yeux. Ne sachant pas
comment l'interpréter, elle reprit :

— Je vous suis vraiment profondément reconnaissante, Del.

Devinant qu'il lui en coûtait de le reconnaître, il répondit modestement :

— Ce n'est pas grand-chose.

Pour lui, peut-être pas, mais pour elle, c'était vital.

Tandis que l'hôtel minable disparaissait au loin, Melissa ferma les paupières, intensément soulagée. Depuis le premier jour, elle avait détesté cet endroit. Alan lui avait juré qu'il ne s'agissait que d'un hébergement provisoire. Il songeait sans doute déjà à aller ailleurs — sans elle…

La colère mordit son cœur en pensant à l'égoïsme dont avait fait preuve cet homme qu'elle avait aimé et qui l'avait laissée tomber, sans aucun remords, la veille de son accouchement.

Del vit ses traits s'assombrir.

— Etes-vous sûre que vous ne souhaitez pas que je le retrouve ?

Même s'il n'avait aucune envie de voir réapparaître ce pauvre type, il se devait de lui poser la question.

Les pleurs de Della devenaient plus insistants.

— Certaine. Je ne veux plus le revoir de ma vie.

Il sourit.

— Tant mieux.

De nouveau, une lumière étrange brilla dans son regard et Melissa se demanda s'il en était conscient. Il avait l'air de se réjouir qu'Alan se soit évaporé dans la nature et qu'elle n'ait pas envie de le recroiser. Mais peut-être était-elle victime de son imagination ? Prenait-elle ses désirs pour la réalité ?

Sans doute. Comme une midinette, elle ne pouvait s'empêcher d'espérer que quelque chose de merveilleux allait se produire sous peu et transformer sa vie. Elle aurait dû pourtant savoir qu'elle se nourrissait d'illusions.

A présent, Della criait à pleins poumons.

— Ces hurlements signifient-ils qu'elle est fatiguée, mouillée ou affamée ? fit Del. Comme elle vient de se réveiller, elle n'est sans doute pas épuisée.

Melissa tira sur la couche de l'enfant pour en voir l'intérieur.

— Et elle n'est pas mouillée non plus.

— Donc elle a faim.

— Je l'allaite…

C'était un comportement parfaitement naturel. Depuis la nuit des temps, les mères allaitaient leurs enfants. Pourquoi alors avait-elle l'impression de lui révéler un secret intime, presque indécent ?

Del se gara. Sans couper le moteur, il leva le frein à main et alla chercher dans le coffre une petite couverture dont il couvrit les épaules de Melissa, afin de dissimuler sa poitrine des regards.

Elle pouvait donner le sein à Della, personne ne s'en apercevrait. Touchée, elle lui sourit. Il avait compris son malaise sans qu'elle eût à le lui expliquer.

— Vous pensez à tout…

— Je ne suis pas policier ni ancien scout pour rien !

Il était surtout un homme exceptionnel.

Cette pensée la prit par surprise au moment où elle s'y attendait le moins. Il lui fallait veiller à ce que la gratitude qu'elle éprouvait pour lui ne se transforme pas en sentiments plus… dangereux. N'avait-elle pas déjà payé très cher sa tendance à écouter à son cœur ? A cause de son côté fleur bleue, elle se retrouvait sans le sou, sans logement, avec un nouveau-né dans les bras…

Et avec un policier qui jouait les chevaliers servants.

En tâchant de ne pas songer à leur proximité, Melissa déboutonna le haut de son corsage et guida la petite bouche vers son mamelon. Del serrait si fort le volant que ses jointures en blanchirent ; elle fit semblant de ne pas le remarquer.

Très vite, Della, satisfaite, se calma. Tout en caressant son crâne avec tendresse, Melissa murmura :

— Vous êtes vraiment très attentionné, Del.

Lorsqu'elle lui parlait si doucement, il sentait des frissons lui parcourir l'échine. Il avait l'impression qu'une musique merveilleuse l'enveloppait.

Et son imagination s'envola…

Or ce n'était vraiment pas le moment. Il lui fallait cesser de fantasmer sur cette femme. Pour lui, elle n'était qu'une personne en difficulté à qui il venait en aide par solidarité, par devoir. Il n'avait pas le droit de la considérer autrement.

Mais, bon sang, qu'elle était belle ! Avec ses cheveux sur ses épaules, son bébé contre son cœur, Melissa était le portrait vivant d'une madone et son enfant.

Un camion déboîta brutalement devant lui et Del freina pour l'éviter. Réprimant un juron, il s'efforça de se concentrer sur la circulation.

*
* *

86

Quand Del arriva dans sa rue, un quart d'heure plus tard, il fut surpris de découvrir Larry l'attendant, adossé à sa voiture de sport.

Tandis qu'il coupait le moteur, Larry s'approcha.

— Je t'ai ramené ton bolide. J'ai pensé que tu avais déjà fort à faire et te rendre ce petit service ne me coûtait rien.

Il salua Melissa et lui demanda en souriant :

— Pouvez-vous me montrer votre bébé ? Le jour de sa naissance, je l'ai à peine vue.

— Bien sûr.

Elle était fière de lui présenter Della. D'un bref coup d'œil, elle s'assura qu'elle avait bien refermé son corsage et dégagea le visage de la petite.

— Elle ressemble à un ange, déclara Larry. Très jolie petite fille. Bon, je ferais mieux d'y aller, maintenant.

Del retira la valise du coffre, sortit également l'ours et les fleurs, tendit les clés à son collègue et aida Melissa à s'extraire du véhicule.

Remarquant sa pâleur, il fronça les sourcils.

— Vous sentez-vous bien ?

Elle hocha la tête, même si elle avait les jambes chancelantes.

Assis au volant de sa voiture, Larry lança à Del :

— Si tu as besoin de quoi que ce soit, fais-moi signe.

Melissa le regarda s'éloigner.

— C'est un très chic type.

— Oui, c'est vrai.

Chargé des affaires de la jeune femme, Del ouvrit la porte de sa maison.

— Attention à la marche.

À l'intérieur, Melissa, sidérée, promena les yeux autour d'elle. Le salon avait l'air d'avoir été dévasté par un ouragan. La pièce était jonchée de vieux journaux, de vaisselle sale, de vêtements disparates, oubliés là où Del les avait balancés la veille — ou, plus vraisemblablement, la semaine précédente.

— C'est donc ici que vous vivez ? s'enquit-elle, répétant les mots qu'il avait prononcés une heure plus tôt.

Posant la valise à terre, Del ramassa une chaussette qui traînait. Il les achetait toutes de la même couleur pour multiplier ses chances d'en porter une paire assortie.

Melissa doutait qu'il parvienne à retrouver quoi que ce soit dans ce capharnaüm…

Mais Del l'entraînait déjà dans le couloir.

— Suivez-moi.

Contrairement au reste de la maisonnée, la chambre d'amis n'était pas en désordre, seulement poussiéreuse.

— Je n'ai pas eu le temps de la nettoyer, s'excusa-t-il en ouvrant la fenêtre.

— Vous étiez trop occupé à venir à la rescousse de vos concitoyens.

Quand il se retourna, il la vit lui sourire. L'accueillir chez lui allait lui permettre de sonder sa moralité, se dit-il.

— Oui, quelque chose comme cela.

Melissa regarda autour d'elle. La pièce était peinte en bleu, les fenêtres ornées de rideaux marine. Un grand lit trônait et un petit bureau de bois était installé dans un coin.

— Comme c'est joli !

Elle lui rappelait la chambre qu'elle occupait chez sa tante Julia, chez qui elle avait atterri lorsque sa mère avait sombré dans une grave dépression. Mais celle-ci était dix fois plus belle.

Della dans les bras, elle demeura un instant silencieuse. De nouveau, elle devait compter sur la gentillesse des autres…

Del nota son air songeur. Sans doute regrettait-elle d'être venue chez lui.

— Ecoutez, j'ai un coup de fil à passer — puis j'irai vous chercher quelques affaires.

— Des affaires ? s'étonna-t-elle. Lesquelles ?

— Eh bien, Della a besoin d'un berceau pour dormir. Et de vêtements, aussi.

Pendant sa grossesse, chaque fois qu'elle avait eu envie d'acheter de quoi habiller le futur bébé, Alan l'en avait dissuadée et avait utilisé l'argent à autre chose. Et elle avait été trop faible pour insister.

— Je ne fais pas souvent les courses, expliqua-t-elle, gênée.

— Kathy vous prêtera tout le nécessaire, ne vous inquiétez pas, lui dit-il en souriant.

— Kathy ?

— Ma sœur. Elle ne jette jamais rien. Elle a eu trois enfants et son garage ressemble à une boutique. Bon, je reviens.

Restée seule, Melissa regarda sa fille, qui se remettait à pleurer.

— Tu as encore faim ? Ce n'est pas possible ! Je viens de te nourrir !

Comme l'enfant criait de plus belle, Melissa céda.

— D'accord, d'accord.

Le lit lui parut incroyablement confortable. Rien à voir avec ceux des hôtels de seconde zone où elle vivait depuis des mois… Elle déboutonna son corsage.

— Dans la voiture, ce n'était que l'apéritif, c'est ça ? Tu réclames à présent le plat de résistance.

C'est ainsi que Del la découvrit.

Il n'avait pas voulu la surprendre. Il revenait lui apporter ses fleurs et lui annoncer la visite de Kathy. Interdit, il s'arrêta sur le seuil de la pièce.

Assise sur l'édredon, Melissa allaitait son bébé. Se croyant seule, elle n'avait pas songé à dissimuler ses seins.

A leur vue, un désir violent s'empara de lui. Il ne s'agissait pas uniquement d'une pulsion sexuelle, il le devinait, mais il ne parvenait pas bien à identifier les émotions dont il était la proie.

Il battit en retraite dans le couloir. Puis il fit exprès de claquer les talons sur le sol pour la prévenir de sa venue.

En l'entendant, Melissa couvrit prestement sa poitrine. Del réprima un sourire et entra.

— Kathy arrive tout de suite.

— Que lui avez-vous dit ?

« Bonjour, j'ai ramassé une SDF et elle a besoin de tout » ?

D'un ton serein, Del répondit :

— D'apporter un berceau, des grenouillères et tout ce qui pourrait être utile à un bébé de trois jours.

Il posa le bouquet sur le bureau. Les œillets semblaient plus magnifiques encore dans cette pièce. Comme elle.

Melissa imaginait sans peine la réaction de cette Kathleen mais s'enquit malgré tout :

— Qu'a-t-elle répondu ?

Del pensa qu'il allait installer le bébé à côté. Melissa avait besoin de se reposer et cela lui serait plus facile si la petite ne dormait pas dans la même chambre.

— Qu'elle serait là dans moins d'un quart d'heure.

Qui étaient ces gens ? se demandait Melissa. Se montrer si généreux avec une parfaite inconnue...

— N'a-t-elle pas trouvé votre requête un peu bizarre ?

Il se mit à rire.

— C'est exactement la raison pour laquelle elle a voulu débarquer sur-le-champ. Kathleen n'est jamais pressée. Sauf lorsqu'elle est dévorée par la curiosité.

Au premier regard, Kathleen plut à Melissa.

Kathleen Santini Cordell, aussi brune et spontanée que son frère, était entrée d'un pas alerte dans la maisonnette de Del, chargée d'un berceau et suivie de trois petits enfants en file indienne. Chacun portait quelque chose. La plus jeune, une fille âgée de deux ans, tirait un gros sac rempli de vêtements pour bébé, qu'elle jeta dans un coin du salon.

Melissa songea que cela ne jurait pas dans le décor.

Kathleen posa le berceau près du canapé, et mit la main sur le bras de son frère.

— As-tu fondé une famille depuis la dernière fois que nous nous sommes vus ?

Avec un clin d'œil complice, elle se tourna vers Melissa, un grand sourire aux lèvres.

— Présente-moi, Del !

— Melissa Ryan, voici ma petite sœur, une femme de tête qui aime mener son monde à la baguette, Kathleen Cordell.

— Ne l'écoutez pas, répliqua Kathy tandis que Del allait chercher le reste. Je n'ai jamais eu d'autorité sur lui.

Elle regarda Della et ajouta :

— Je peux le porter ?

— Elle, corrigea Melissa en mettant l'enfant dans ses bras.

— C'est encore mieux.

Avec douceur, Kathleen pressa l'enfant contre son cœur.

— J'adore l'odeur des bébés. Ils sentent si bon qu'on oublie qu'ils grandissent et deviennent de beaux petits diables.

Tout en berçant Della, elle considéra sa petite tribu avec fierté. Les trois enfants voulaient allumer la télévision. Comme ils cherchaient la télécommande dans le fatras du salon, ils renversèrent une pile de journaux.

— Cessez de mettre la pagaille, leur ordonna leur mère.

Ils obtempérèrent un instant, avant de recommencer…

Soudain, Kathy fronça le nez.

— Oh, oh, j'ai l'impression que votre petit ange a besoin d'être changée ! Avez-vous des couches ?

— Malheureusement pas.

— Dieu merci, j'en ai acheté en chemin.

Elle se tourna vers Del qui revenait.

— Del, aurais-tu la gentillesse d'aller les prendre dans mon coffre ?

— Vous voyez, lança-t-il à Melissa. Quand

je vous disais qu'elle menait tout le monde à la baguette.

Comme toujours, Kathy avait pensé à tout.

Cette dernière s'efforçait de ne pas fixer avec trop de curiosité la jeune femme assise à côté d'elle.

— Où avez-vous rencontré Del ?

— Sur l'autoroute.

— Il vous a verbalisée pour excès de vitesse ?

— Il a mis au monde mon bébé.

A ces mots, Kathleen rit de bon cœur.

— Ainsi, c'est vous !

— Il vous a parlé de moi ?

— Del a raconté l'histoire à tout le monde ou presque. Vous avez bien travaillé, ajouta-t-elle en regardant Della avec un bon sourire. Vous êtes ici pour un petit moment ?

Elle posait la question sans une once de malice ou de critique.

— Jusqu'à ce que je me sois retournée. Votre frère a eu la gentillesse de m'accueillir sous son toit. Je ne sais vraiment pas ce que j'aurais fait sans lui.

Stupéfaite de s'être autant révélée, elle s'interrompit. Del et sa sœur avaient le pouvoir de la mettre à l'aise. En général, elle était très réservée… Mais il

95

y avait quelque chose dans leur regard, dans leurs manières, qui inspirait confiance.

Sans marquer aucune surprise, Kathleen hocha la tête.

— Oui, cela ne m'étonne pas de lui.

— Il l'a déjà fait ?

Peut-être avait-il l'habitude de recueillir chez lui toutes les femmes en détresse. L'idée d'être interchangeable à ses yeux ennuya Melissa, sans qu'elle comprenne pourquoi.

Contrariée d'être mouillée, Della s'agitait. Kathleen lui tapota le dos.

— Pas vraiment, mais si quelqu'un a besoin d'une conduite, d'argent, d'un coup de main ou d'un lit, Del répond toujours présent. Cela rendait Drew complètement fou.

— Drew ?

— Un de mes autres frères. Ils ont vécu deux ans ensemble dans cette maison. Drew appréciait le calme. Or, tel saint François d'Assise, Del ouvrait sa porte à tous… Cela dit, s'il ramène un jour chez lui des écureuils ou d'autres animaux sauvages, un bon conseil : fuyez !

Del, de retour, posa le sac à leurs pieds.

— Qu'est-ce que tu lui racontes, Kathy ?

— Je lui parle seulement de saint François d'As-

96

sise, répliqua sa sœur d'un air candide. Et maintenant, jeune fille, je vais vous changer. Comment s'appelle-t-elle ? demanda-t-elle à Melissa.

— Della.

Un sourire entendu se peignit sur les lèvres de Kathleen tandis qu'elle quittait la pièce.

Dès qu'elle fut sortie, Melissa se tourna vers Del.

— J'aime beaucoup votre sœur.

Del se percha sur le bras d'un fauteuil à côté d'elle.

— Tout le monde l'adore. Elle a un petit côté directif mais surtout, elle a un cœur d'or.

— Comme toute votre famille, apparemment.

— Oh non ! Moi, je suis le vilain petit canard du clan.

Comme il agrémentait sa remarque d'un clin d'œil, elle sentit son estomac se nouer.

Je dois avoir faim, se dit-elle.

Des éclats de voix se firent soudain entendre. Jimmy et Stevie se disputaient.

— Eh, les démons, du calme ! leur lança Del. Sinon, je ne vous emmènerai pas au parc d'attractions comme promis.

En le regardant séparer les combattants, Melissa devina qu'il ne mettrait jamais ses menaces à exécution.

6.

Lorsque la nuit tombait, Melissa sentait ses peurs remonter à la surface et la miner. Savoir que ses craintes dataient de son enfance, de l'époque où elle guettait le retour de sa mère, sortie faire la bringue avec des hommes, n'apaisait pas son sentiment de solitude. Entre chien et loup, elle était toujours la proie d'un malaise diffus qui ne faisait que s'accentuer avec l'obscurité.

Comme actuellement.

Elle tira les rideaux et frissonna. Que savait-elle réellement de l'homme qui l'avait accueillie sous son toit ?

D'accord, il faisait partie de la police. Et il avait un bon sourire, une sœur adorable et une belle maison. Mais cela ne signifiait pas qu'il n'allait pas lui sauter dessus. Les victimes de l'étrangleur de Boston avaient peut-être trouvé également très sympa leur futur meurtrier. Et lui avaient fait confiance.

La veille, lorsqu'elle avait accepté son offre, elle était au désespoir. Elle n'avait nulle part où aller, elle n'avait pas eu le choix. Et elle s'était persuadée qu'elle serait tout à fait capable de se défendre s'il tentait quelque chose.

Nerveusement, elle promena les yeux dans la chambre, luttant contre une angoisse croissante.

Effectivement, il était policier, donc entraîné à se battre. Et elle était enseignante. S'il décidait de la violer, ils ne seraient pas vraiment à égalité…

Melissa considéra son reflet dans le miroir mural. Ses cheveux pendaient lamentablement sur ses épaules, des cernes dévoraient son visage, comme toujours quand elle était exténuée.

Comment pourrait-il vouloir l'agresser sexuellement ? Si Del était torturé par sa libido, il chercherait une femme séduisante.

Soudain glacée, elle frotta ses bras pour se réchauffer. Malgré sa fatigue, elle était incapable de trouver le sommeil.

Et de nouveau, elle regretta d'avoir dû solliciter de l'aide. Mis à part les quelques mois passés chez son oncle et sa tante, elle s'était toujours débrouillée seule dans la vie. Elle en était fière. Etre dans le besoin l'humiliait. Ah, si elle avait eu l'égoïsme d'Alan !

Elle se reprochait surtout de l'avoir cru...

Brusquement, elle entendit frapper à sa porte. Tremblant de tous ses membres, elle vit la poignée tourner.

Calme-toi, s'ordonna-t-elle. S'il cherchait à te sauter dessus, il n'aurait pas demandé l'autorisation d'entrer.

— Oui, balbutia-t-elle.

Elle retint son souffle et s'efforça de prendre un air dégagé.

Del pénétra dans sa chambre, un plateau à la main.

— J'ai pensé que vous aviez peut-être faim...

Alléchée par l'odeur délicieuse qui s'échappait du plat, elle se rapprocha.

— Cela sent bon ! On dirait un veau Orloff !

Elle le lorgna d'un air suspicieux. Les hommes ne concoctaient pas ce genre de petits plats. En général, leurs compétences culinaires se limitaient aux pâtes. Quand Alan se sentait créatif, il les nappait de moutarde. Mais concocter du veau Orloff ? Jamais.

Avec précaution, Del posa son chargement près

du lit. Il avait pensé la trouver couchée et fut étonné de la voir arpenter la chambre.

— Il m'en restait du week-end dernier. Il sera meilleur réchauffé. Goûtez-le, ajouta-t-il avec un sourire.

S'asseyant sur le bord du matelas, elle en porta un morceau à sa bouche. Et se rendit compte qu'elle était affamée.

Del la regarda déguster son dîner, apparemment satisfait de la voir dévorer de si bon appétit. La gorge subitement sèche — comme chaque fois qu'il la dévisageait —, Melissa avala un peu de thé.

— C'est délicieux. Est-ce l'œuvre de votre sœur ?

Il éclata de rire.

— Kathleen ? Elle ne sait pas faire cuire un œuf. Toutes ses tentatives culinaires se sont révélées désastreuses. Un jour, Dennis a même dû être conduit en urgence à l'hôpital pour intoxication alimentaire.

Il ne la quittait pas des yeux. Il aurait pu passer la nuit à la contempler.

— C'est moi qui l'ait fait, dit-il en se calant sur le lit.

— Vous ? s'écria-t-elle, incrédule.

Amusé par sa réaction, Del se redressa.

101

— Cela vous paraît impossible ?

— Non, pas impossible. Mais je pensais qu'un homme qui ne range pas sa maison...

Elle se mordit la lèvre. Elle n'avait pas voulu être blessante. Il lui préparait un repas et elle l'insultait.

Mais il ne fut pas vexé et finit sa phrase.

— ... ne savait sûrement pas cuisiner.

Quand elle rougit, il la trouva plus belle encore et éclata de rire.

— Ce sont deux qualités indépendantes, pourtant.

— C'est sûr.

Elle s'avisa qu'elle avait fini son assiette et aurait bien pris un supplément.

— J'aurais pu me mettre à table...

Il lui prit le plateau des mains et secoua la tête.

— Non, je tenais à ce que vous preniez votre repas au lit.

— Et pourquoi ? lui lança-t-elle, en proie à un regain d'angoisse.

Devinant qu'elle avait mal interprété sa réponse, il précisa :

— Pour vous permettre de vous reposer.

Melissa s'apaisa.

102

— Je… je ne comprends pas.

— Visiblement, répondit-il en posant la main sur son bras pour la calmer. J'essaie de vous dire que vous avez besoin de souffler, de récupérer. J'ai envie de vous faciliter les choses.

Il était vraiment trop gentil pour être vrai. Elle se sentit idiote.

— Et rien d'autre ?

« Oh, si, j'aimerais beaucoup plus, mais pas maintenant. »

— S'il doit y avoir autre chose, Melissa, cela ne se produira que lorsque vous serez libre. Et prête.

Sa petite ruse avait marché. Il la croyait mariée. Pourquoi éprouvait-elle alors une telle culpabilité ?

— Par « libre », vous voulez dire « divorcée » ?

Il hocha la tête.

— Je ne chasse pas sur les terres d'un autre…

— Vous me donnez l'impression d'être du gibier.

Sans pouvoir s'en empêcher, il lui caressa lentement la joue.

— Une jolie biche, peut-être, mais certainement pas une proie.

A ces mots, elle culpabilisa davantage. Personne

n'avait jamais été aux petits soins pour elle et elle se sentait sans défense. Elle fronça les sourcils.

— Ne soyez pas gentil avec moi, Santini.

Comment aurait-il pu se comporter autrement ? Bientôt, il l'espérait, elle perdrait ce regard hanté, lui ferait confiance. Il réprima son impatience.

— Voulez-vous que je sorte mon fouet et mes chaînes ?

— Vous vous moquez de moi.

— Non, j'essaie de vous faire rire. J'aime beaucoup vous entendre rire.

Lorsque Del se leva, le plateau tomba à ses pieds avec fracas. Il l'avait complètement oublié. La surprise qui se peignit sur ses traits fit s'esclaffer Melissa.

— Je ne voulais pas dire que j'aimais vous entendre rire à mes dépens, ajouta-t-il en ramassant les dégâts.

— Non, laissez-moi faire, c'est ma faute.

A genoux près de lui, elle posa ses mains sur les siennes et il sourit.

— Nous irons plus vite à deux.

Quand elle leva les yeux vers lui, il sut qu'il était perdu. Sa bouche était trop près, la chambre trop étroite. Et son désir trop fort. Tout conspirait à saborder ses bonnes résolutions. Incapable de repousser la tentation, il prit Melissa dans ses bras. Son cœur battait à tout rompre dans sa poitrine. Et il s'empara de ses lèvres comme si c'était une question de vie ou de mort.

Il en avait rêvé. Ce fut plus fort encore, beaucoup plus fort. Il lui semblait n'avoir jamais embrassé personne, ni compris avant cet instant ce que signifiait un baiser. Il savait seulement qu'il était lié corps et âme à cette femme.

Oubliant le plateau qui gisait à leurs pieds, il la serra plus étroitement contre lui.

Melissa avait l'impression de choir dans un puits sans fond. Elle était à la fois terrifiée, enchantée et perdue. Elle devait l'arrêter.

Mais elle ne le pouvait pas.

Emportée par la passion, elle s'abîma dans cette étreinte, s'accrochant à lui de toutes ses forces.

Il n'y avait plus entre eux qu'un désir puissant, animal.

Del n'avait jamais perdu à ce point la maîtrise de lui-même. C'était un peu comme de se jeter dans le vide sans savoir si un parachute amortirait sa chute ni s'il serait à même de l'ouvrir.

Conscient d'être sur le point de faire quelque chose qu'elle lui reprocherait certainement plus tard, il la repoussa, non sans mal. Il avait envie de lui faire l'amour mais des milliers de raisons lui interdisaient de céder à ses pulsions. Melissa n'y était pas prête, physiquement, et ne le serait pas avant plusieurs jours. Surtout, elle ne l'était pas émotionnellement. Et il ne devait pas oublier qu'elle était mariée.

S'il continuait à l'embrasser comme un fou, il franchirait bientôt le point de non-retour, il le savait.

— Je suis désolé, balbutia-t-il en passant la main dans ses cheveux.

Le trouble qui brillait dans les yeux de la jeune femme attisait son désir.

— Non, ce n'est pas vrai, je ne regrette rien et surtout pas de vous avoir embrassée. Je déplore seulement que vous soyez la femme d'un autre.

Le désir de lui avouer la vérité et la crainte de perdre sa seule protection déchiraient Melissa.

— Je...

— Oui ?

Dans la pièce voisine, Della se mit soudain à pleurer et Melissa recula, soulagée. Cette diversion lui évitait de lui révéler la situation comme de lui mentir.

— Je vais m'occuper du bébé.

Del s'ébroua.

— D'accord, très bien.

Il se mit en devoir de ramasser les morceaux de vaisselle brisée.

En proie à une vague de culpabilité, la jeune femme se reprocha de lui faire croire qu'elle était mariée, de l'avoir laissé l'embrasser.

Et d'avoir aimé cela.

Le plateau dans les mains, Del se leva.

— A demain, dit-il.

— Bonne nuit.

Melissa se précipita auprès de Della, heureuse d'avoir un prétexte pour occuper son esprit.

Mais la petite s'était rendormie. Melissa caressa le bois du berceau, luttant contre la kyrielle d'émotions qui la submergeait. La vue de son enfant l'apaisa un moment mais rien ne pouvait soulager la douleur qui l'étreignait, la souffrance que les baisers de Del avaient éveillée en elle.

Quand tirerait-elle enfin les leçons du passé ? Une fois de plus, elle était prête à tomber dans le panneau, à rêver d'une grande histoire d'amour. Combien de déconvenues lui faudrait-il connaître avant de cesser de croire au prince charmant — et de prendre ses désirs pour la réalité ?

Quand Del l'avait embrassée, elle avait tout oublié…

Tel un phénix, l'espoir avait resurgi de ses cendres.

Les larmes aux yeux, elle serra les poings. Elle savait qu'elle n'avait plus rien à espérer. De personne. Elle ne voulait plus souffrir. Jamais plus. Elle ne devait absolument pas laisser se lézarder la carapace dans laquelle elle avait enfermé son cœur.

Del se montrait adorable. Mais tôt ou tard, forcément, il la ferait souffrir. Comme tous les hommes.

« Ils sont tous les mêmes, des égoïstes. Ne l'oublie jamais, Missy. »

Les conseils maternels lui revinrent à la mémoire. A l'époque, elle avait refusé de la croire. Pourtant, toute sa vie, sa mère s'était laissé abuser par des amants qui lui faisaient miroiter le bonheur avant de l'abandonner à ses déceptions. Pendant des années, Nora Ryan avait cherché l'amour mais n'avait jamais été aimée. Tous ces types s'étaient servis d'elle sans rien lui donner.

Longtemps, Melissa avait pensé qu'il en serait autrement pour elle.

Puis elle avait fait la connaissance d'Alan, Alan qui lui avait répété qu'il l'adorait et lui offrirait une existence heureuse, merveilleuse. Lorsqu'il avait, si brutalement, pris la fuite, elle avait amèrement regretté de ne pas avoir accordé d'importance aux avertissements de sa mère.

Si un homme valable existait sur cette terre, se dit-elle, regardant inconsciemment vers la chambre de Del, pourquoi ne l'avait-elle pas rencontré quand elle croyait encore à l'amour ?

Le chagrin menaçait de l'engloutir dans une obscurité sans fin. Elle se sentirait mieux après une bonne nuit de sommeil, se dit-elle. A pas de loup, elle regagna sa chambre.

Comme elle en franchissait le seuil, Della se remit à pleurer. Melissa revint près du berceau.

— Je suis là, chérie, murmura-t-elle en reprenant l'enfant dans ses bras. Je serai toujours là pour toi, ne t'inquiète pas.

Del rangeait la vaisselle dans la cuisine quand il entendit Della. D'instinct, il eut envie d'y aller — mais il se l'interdit. Melissa était là. Et dans l'immédiat, elle avait certainement besoin d'être tranquille.

De nouveau, il se reprocha son impulsivité, son manque de sensibilité. Comment avait-il pu profiter de sa faiblesse ? La désirer n'était pas une excuse.

A présent, elle allait être deux fois plus méfiante à son égard. Tout était sa faute. Au lieu de gagner sa confiance, comme il en avait eu l'intention… il s'était quasiment jeté sur elle. Il allait devoir redoubler d'efforts pour l'apprivoiser. Elle avait traversé tant d'épreuves, elle se sentait si seule, si vulnérable, elle avait déjà le sentiment de ne pouvoir compter sur rien ni sur personne…

Avec un soupir, il posa le plateau sur la table, à côté du journal des sports du dimanche précédent, qui y traînait encore.

Pourtant, la femme qu'il avait embrassée, il y a un instant, était remplie de passion, de désirs, et il pourrait la combler si facilement…

Il savait qu'il y avait quelque chose entre eux, désormais, que ce soit une simple relation ou davantage. Tout dépendrait de ce qui se passerait ici, maintenant, et dans les semaines à venir…

Del regarda l'évier. La vaisselle sale commençait à former une pyramide… Demain, se promit-il. Il la laverait demain sans faute.

Il sortit de la cuisine et rejoignit le couloir. C'était plus fort que lui. La chambre de la petite était entrouverte mais il s'obligea à frapper avant de s'y glisser. Autrefois, Drew y dormait, et Del avait l'habitude d'y faire irruption sans prévenir.

Dans sa famille, chacun entrait partout comme dans un moulin. C'était le côté chaleureux des Santini.

— Non ! cria-t-elle.

Puis d'un ton radouci, elle ajouta :

— Ce n'est rien.

Elle m'en veut de l'avoir embrassée, se dit Del en lâchant la poignée. Bravo, mon vieux !

Néanmoins, il insista.

— Voulez-vous que je la berce un peu ?

Indécise, elle se tourna vers la porte. Avait-elle envie qu'il entre ou qu'il aille au diable ?

— Cela vous permettrait de vous reposer, poursuivit-il.

Elle savait qu'un mot suffirait pour l'avoir à ses côtés. Della serrée contre elle, elle ferma les paupières.

— Je ne préfère pas, dans l'immédiat.

Il comprenait. Il était le seul à blâmer.

— D'accord, dit-il en enfonçant ses poings dans ses poches. A demain.

Quand elle le vit s'éloigner dans le couloir, elle regretta qu'il soit parti mais se sentit incapable de le retenir. Elle aurait voulu être plus forte...

Pourquoi, tant qu'elle y était, ne pas espérer

111

devenir reine d'Angleterre ? Elle aurait plus de chance de voir son vœu se réaliser.

Elle se mit à marcher dans la pièce pour calmer l'enfant.

— Tout va bien, chérie, tout ira bien, je te le promets. Je ne te laisserai pas tomber...

Elle se le promettait tout autant qu'à sa fille, pensa Del, debout dans le couloir.

— Moi non plus, je ne te laisserai pas tomber, Melissa, murmura-t-il, sachant qu'elle ne pouvait l'entendre.

Laissant la lumière allumée — il devinait que cela la rassurerait —, Del rejoignit sa chambre.

Mais il savait qu'il ne dormirait pas beaucoup cette nuit, même si le bébé se calmait...

7.

Un long moment s'écoula avant que Della ne s'endorme ; pendant des heures, Melissa arpenta la chambre en tous sens. Quand elle regagna enfin la sienne, elle était exténuée et trouva à peine la force de se déshabiller pour se mettre au lit.

Tandis qu'elle se pelotonnait sous ses draps avec un soupir de bonheur, elle bénit Del, qui avait pensé à installer l'enfant dans une pièce séparée. Si le bébé avait été avec elle, elle serait restée aux aguets, attendant inconsciemment qu'elle se réveille, et n'aurait pu fermer l'œil de la nuit. Ce silence était réconfortant.

Instantanément, elle rejoignit les bras de Morphée.

Les cris de Della la tirèrent trop vite d'un sommeil réparateur. Désorientée, elle se demanda où elle était.

Peu à peu, la mémoire lui revint. Elle se trouvait

dans la maison de Del. En bâillant, elle se mit sur son séant et consulta sa montre. Il était 2 heures du matin.

Abrutie de fatigue, elle passa la main dans ses cheveux. Normalement, le bébé ne devait pas réclamer son dû si tôt. Mais elle n'avait sans doute pas la notion du temps…

Mon Dieu ! songea-t-elle soudain, si elle la laissait pleurer, la petite allait réveiller Del ! Elle n'avait pas le droit de le remercier ainsi de son hospitalité et de sa gentillesse.

A la hâte, elle enfila sa robe de chambre et se rua dans la chambre voisine. Le mince tissu flottait autour d'elle comme un voile…

La porte de Della était ouverte. Et elle n'était pas seule.

Melissa battit des paupières. Etait-elle encore dans ses rêves ? Torse nu, vêtu d'un vieux jean qu'il devait utiliser comme pyjama, Del berçait le bébé en lui chantant une comptine. A la vue du tendre spectacle qu'il lui offrait, des larmes montèrent à ses yeux.

Encore ces satanées hormones, qui la perturbaient toujours au mauvais moment ! Voir un homme câliner un nourrisson, il n'y avait pas là de quoi pleurer !

114

Pourtant, elle était bouleversée.

Il lui rappelait tous les rêves auxquels elle avait cru, tous les bonheurs qu'elle avait pensés possibles pour elle. Et la triste réalité. Combien de fois s'était-elle imaginé Alan — et non ce policier qu'elle connaissait à peine — son enfant dans les bras ? Del ne faisait que passer dans son existence, même s'il était le meilleur père dont une petite fille puisse rêver...

Soudain, Del prit conscience de la présence de Melissa sur le seuil de la pièce. La lumière du couloir laissait deviner par transparence ses courbes gracieuses...

Aussitôt, sa gorge devint sèche et il se raidit. Même si elle venait d'accoucher, Melissa avait un corps de sirène, à damner un saint. Et, de tout son être, il réagissait à sa vue...

Il ne se souvenait pas avoir un jour été troublé à ce point par une femme. Jusqu'alors, si les circonstances ne s'y prêtaient pas, il réfrénait ses pulsions sans difficultés. Or, devant Melissa, il ne maîtrisait plus rien, terrassé par un feu dévorant. Garder ses distances devenait de plus en plus ardu.

Se sentant négligée, la petite Della poussa un gémissement et il se remit à marcher.

— Elle semble apprécier les berceuses d'autrefois…

Malgré l'obscurité, Melissa remarqua le regard brûlant de Del. Ce n'était pas bien, pas bien pour elle. Elle en éprouva cependant un réel plaisir, elle ne pouvait le nier. Elle se sentait subitement femme. La façon dont il la dévorait des yeux la réchauffait. Il lui semblait qu'il rallumait en elle une force de vie.

Quand elle s'avança vers lui, sa robe de chambre caressa ses jambes. Se rendant compte que le vêtement était ouvert, elle rougit et en rabattit les pans contre elle avant d'en nouer étroitement la ceinture. Puis elle prit le bébé des bras de Del.

— Vous n'auriez pas dû vous lever. Vous êtes déjà tellement gentil…

— Ce n'est rien, assura-t-il en lui passant l'enfant.

« Pour vous, je ferais n'importe quoi », ajouta-t-il in petto.

Il savait qu'elle n'était pas prête à l'entendre.

« Oh, je vous en prie », priait-elle en silence. « Ne soyez pas aussi adorable. Je suis vulnérable et j'ai besoin de me protéger de vous, de moi. Je ne peux pas laisser mes rêves reprendre le dessus, ils m'ont fait déjà trop de mal. »

116

Del vit la peur briller dans ses yeux. Avec douceur, il lui caressa la main. Puis, la tentation devenant trop forte, il recula, craignant d'aller trop loin.

Lorsque Melissa lui sourit avec reconnaissance, il comprit que tout irait bien. Provisoirement. Préférant aborder un terrain moins dangereux, il reprit :

— Je l'ai changée mais sans doute a-t-elle faim. A moins qu'elle n'ait voulu exprimer par ses cris son aversion pour ma voix.

Melissa s'imagina le jeune homme en prise avec les couches et émit un petit rire.

— Où avez-vous appris cette berceuse ?

Cette douce mélodie lui était revenue sponta-nément à l'esprit. Elle était gravée pour toujours dans sa mémoire.

— Ma mère la chantait sans cesse à mes frères et sœur lorsqu'ils étaient bébés. Elle n'en connaissait peut-être pas d'autre. Ou peut-être pensait-elle que l'ennui aurait raison de leurs hurlements.

Il aurait dû retourner se coucher. Il n'avait prati-quement pas dormi et il aurait du mal à travailler après une nuit blanche. Mais il avait envie de rester.

— Vous êtes sûre de n'avoir besoin de rien ?

117

— Certaine. Vous me le demandez sans cesse.

— Mon métier m'a appris à rendre service, répondit-il avec un clin d'œil. Mais vous refusez toujours. Vous n'aimez pas solliciter les autres.

Elle devinait que la générosité faisait surtout partie de la nature profonde de Del. Elle contempla son torse musclé, légèrement velu, et résista au désir de le caresser. Recouvrant ses esprits, elle se mit à marcher pour calmer le bébé.

— N'est-ce pas le cas de tout le monde ?

— Oh non !

Elle tenta de se concentrer sur la conversation, d'oublier qu'il était si beau, si séduisant et si proche d'elle.

— Pourtant, demander de l'aide est un signe de faiblesse.

— Non, c'est la preuve que vous êtes un être humain. Bonne nuit, Melissa. A demain.

Tout en s'exhortant à la prudence, il déposa un petit baiser sur sa bouche.

Ce fut un geste très léger.

Mais il éveilla en lui un feu intense.

— Essayez de vous reposer, marmonna-t-il en sortant précipitamment. Pour ma part, je vais prendre une douche froide.

118

« Peut-être même deux », songea-t-il.

Les lèvres de Melissa étaient encore marquées par leur premier baiser, comme au fer rouge. Celui-ci, plus bref, plus chaste, par comparaison, lui fit comprendre qu'elle était dans de sales draps. Elle avait faim de davantage et en même temps, elle se savait trop fragile…

Peut-être se trompait-elle sur la nature des sentiments dont elle était la proie, peut-être n'éprouvait-elle en réalité qu'une immense gratitude pour ce garçon.

Tant qu'elle en serait persuadée, tout irait bien.

A bord de sa voiture, après sa journée de travail, Del se demandait si Melissa serait toujours là quand il rentrerait chez lui. A l'idée qu'elle ait plié bagage, une angoisse irrationnelle s'empara de lui.

Même si elle s'évertuait à paraître forte, il avait vu à plusieurs reprises la peur briller dans ses yeux. Telle une biche effrayée, elle semblait prête à détaler à la moindre alerte.

Et la veille au soir, il avait sans doute été trop loin. Il s'était montré insistant et se le reprochait.

Sur le chemin du retour, il passa chez son oncle pour acheter une pizza. Il avait dit ce matin à

Melissa qu'il se chargerait du dîner, lui ordonnant de se reposer. A présent, l'odeur du fromage et du jambon embaumait la voiture. En général, ces fragrances lui ouvraient l'appétit mais ce soir, il était trop préoccupé pour écouter son estomac.

La mangerait-il seul ? Il accéléra. Melissa n'avait nulle part où aller mais cela n'empêchait personne de prendre la poudre d'escampette. Et elle fuyait quelque chose.

Ou quelqu'un.

Qui ? Son mari ? Elle-même ? Il ne savait rien d'elle mais il devinait qu'elle avait été blessée par la vie, qu'elle se sentait seule, qu'elle avait besoin de quelqu'un. Cela lui suffisait.

Lorsqu'il arriva dans sa rue, un immense soulagement l'envahit à la vue de la vieille camionnette garée devant chez lui comme un animal épuisé. La présence de ce tas de ferraille dans le quartier contrarierait sans doute ses voisins. Il leur parlerait.

La vie est faite de compromis, se dit-il. Il espérait que Melissa s'en rendrait compte. La pizza à la main, il se dirigea vers sa maison.

Comme il pénétrait à l'intérieur, il s'arrêta net et fureta autour de lui. S'était-il trompé d'adresse ? Non, pourtant. Ses clés ouvraient le pavillon !

Il posa son chargement sur la console de l'entrée, une console débarrassée des vieux journaux, magazines et vêtements qui l'encombraient auparavant.

Les mains sur les hanches, il passa en revue le salon. A quand remontait la dernière fois qu'il l'avait vu aussi parfaitement rangé ? La réponse était simple : jamais. Drew et lui n'étaient pas férus de ménage et le désordre avait eu tendance à s'aggraver avec les années.

Mais à présent, la maison était immaculée.

Et silencieuse, trop silencieuse.

En prendre conscience le glaça. Il ne s'était pas introduit en catimini chez lui. Melissa avait dû l'entendre claquer la porte.

Si elle était là.

Certes, sa camionnette était garée dans la rue. Mais cela ne voulait rien dire. Peut-être était-elle en panne et la jeune femme avait-elle appelé un taxi pour s'en aller.

Mais avec quoi l'aurait-elle payé ? Elle n'avait pas un sou vaillant !

Il se rappela soudain avoir laissé de l'argent dans le tiroir de sa chambre. Refusant de croire qu'elle ait pu le lui voler, il serra les mâchoires.

— Melissa !

Où était-elle ? A la hâte, il se rendit dans la chambre de Della et soupira de soulagement à la vue de la petite, sagement endormie dans son berceau.

Melissa n'aurait jamais abandonné sa fille, pensa-t-il en se rappelant la tendresse avec laquelle la jeune mère s'occupait de son bébé. Mais alors où était-elle ?

Après avoir refermé la porte de la chambre, il cria :

— Melissa ?

Une voix étouffée lui répondit. Elle venait de la cuisine, située à l'arrière de la maison. Il s'y rua. Et la découvrit.

A genoux sur le sol, armée d'une grosse éponge et d'une bassine d'eau savonneuse, elle récurait le réfrigérateur. De dos, elle lui offrait un charmant spectacle, avec ses fesses rondes, bien moulées dans son jean.

Soulagé, intrigué, il s'accroupit près d'elle.

— Que faites-vous ?

— Devinez.

Avec un soupir, elle interrompit son travail et essuya les gouttes de sueur qui perlaient à son front. Toute la journée, elle avait nettoyé la maison de fond en comble. Della ne l'avait pas beaucoup

122

appelée, préférant dormir. Visiblement, l'enfant était une noctambule.

Melissa regarda Del avec plus d'attention. Comment cet homme avait-il réussi à créer à lui seul tant de désordre ? Elle jeta à la poubelle les restes d'un plat cuisiné couvert de moisi.

— Quand avez-vous lavé votre frigo pour la dernière fois, Santini ?

Il haussa les épaules en repoussant une de ses mèches brunes derrière l'oreille.

— Nous l'avons acheté avec la maison.

Les yeux écarquillés, elle lui lança :

— Et vous ne l'avez jamais récuré depuis ?

— Pas vraiment. A quoi cela sert-il ?

— A vous éviter une intoxication alimentaire, pour commencer.

Il secoua la tête.

— Je croyais vous avoir demandé de vous reposer.

Elle considéra le réfrigérateur qui semblait, à présent, flambant neuf.

— Ne vous vexez pas mais je ne peux pas me détendre dans la crasse.

Un instant, la vue de ses seins à travers l'échancrure de son corsage lui fit perdre le fil de ses pensées. Del se reprit.

— Vous n'étiez quand même pas obligée de tout nettoyer.

La jeune femme se leva pour rincer l'éponge.

— Quand je commence quelque chose, j'ai du mal à m'arrêter.

— Je saurai m'en souvenir.

Comme elle lui jetait un regard noir, il sourit, content de sa plaisanterie.

— Venez avec moi, reprit-il en saisissant sa main.

Le contact de ses doigts mêlés aux siens lui fit du bien, trop de bien, et elle fronça les sourcils.

— Mais… Et le ménage ?

— Oubliez-le un peu. J'ai acheté une pizza pour le dîner.

Avec un sourire, elle se laissa tomber sur une chaise.

— Formidable !

A présent, la cuisine était en ordre et propre, comme le reste de la maison. Del se demanda où elle avait tout rangé et s'il retrouverait ses affaires. Bah ! Pour l'heure, il voulait seulement se restaurer un peu. Et discuter avec elle.

Il alla chercher la pizza sur la console. Quand il la posa devant Melissa, les yeux de la jeune femme s'éclairèrent.

— Elle sent délicieusement bon !

— Vous devriez vraiment vous reposer. Le désordre ne s'en ira pas.

— C'est sûr ! répondit-elle en riant.

Mais soudain, son sourire disparut et elle le regarda d'un air sérieux.

— Je n'ai pas encore d'argent et, voyez-vous… je n'aime pas l'idée de devoir quelque chose à quelqu'un.

Elle se leva pour sortir des assiettes du placard.

— Nettoyer votre maison était le seul moyen pour moi de vous remercier de votre hospitalité.

Fermement, il l'obligea à se rasseoir.

— Restez à votre place. Je m'occupe du couvert.

Ebahi, il s'aperçut que les couteaux et fourchettes, la vaisselle, les ustensiles se trouvaient à leurs places initiales. Son placard n'avait pas été aussi bien rangé depuis…

Il n'avait jamais été rangé.

Son frère et lui laissaient tout traîner un peu partout, dans l'évier la plupart du temps.

— Vous ne me devez rien. Je ne suis pas la belle-mère de Cendrillon et vous n'avez pas à vous sentir obligée de faire le ménage du matin au soir.

125

Perplexe, elle fronça les sourcils.

— Que voulez-vous dire ?

— N'avez-vous jamais vu les dessins animés de Walt Disney ?

— Non.

— Que faisiez-vous quand vous étiez petite ?

— Je grandissais.

Les morceaux du puzzle commençaient à se mettre en place.

— Vous devriez m'accompagner quand je conduirai mes neveux à Disneyland, à la fin du mois. Della découvrira ainsi un monde merveilleux.

Pour un policier, il n'était pas très réaliste, mais ce côté de la personnalité de Del lui plaisait particulièrement.

— Elle n'aura que trois semaines.

— C'est parfait.

Avisant une miette collée sur ses lèvres, il la lui retira sans la quitter des yeux.

— N'est-ce pas un délice ? s'enquit-il.

Le cœur battant, elle se demanda s'il parlait de la pizza ou du fait d'être avec lui. Elle répondit « oui » aux deux.

— Vous l'avez faite vous-même ? demanda-t-elle, se rappelant le veau Orloff.

Craignant de ne pouvoir résister à une bouche

126

plus délectable encore que la pizza, il détourna les yeux.

— Non, c'est l'œuvre de mon oncle Fazio. Je n'en connais pas de meilleure.

Il sortait deux canettes de soda du réfrigérateur quand la sonnette d'entrée retentit. Qui cela pouvait-il être ? Il n'attendait personne. Avec un soupir, il posa les boissons sur la table.

— Si c'est un collégien qui vient me vendre des tickets de tombola, il va être déçu. Je reviens tout de suite.

Prêt à envoyer promener l'importun, il ouvrit la porte à toute volée.

Mais sa fureur disparut en reconnaissant la petite femme au regard vif qui se tenait sur le seuil de la maisonnette.

— Oh, bonjour, maman !

8.

Avec sa taille svelte et sa peau resplendissante, Gina Delveccio Santini ressemblait plus à une sœur aînée de Del qu'à sa mère. A cinquante-trois ans, elle paraissait à peine plus âgée que la jeune serveuse que Giuseppe Santini avait remarquée dans un restaurant, trente-deux ans plus tôt. Elle n'avait rien perdu de sa joie de vivre ni de son énergie.

Gina considéra son fils d'un œil pénétrant, comme lorsqu'il était adolescent et qu'elle voulait l'obliger à avouer avoir dissimulé un laxatif dans le gâteau du Père Lehey. D'un œil qui exigeait la vérité. Et tout de suite.

— Ne me dis pas « bonjour, maman » de ton air innocent, lui lança-t-elle. Kathleen m'a raconté que tu lui avais demandé d'apporter des couches, des biberons et un berceau.

Affolée par les confidences de sa fille, Gina avait

préféré venir se rendre compte par elle-même de la situation.

De son côté, Del se demandait pourquoi elle avait tant tardé à lui rendre visite. Kathy étant au courant de la présence de Melissa depuis plus de vingt-quatre heures et n'étant pas du genre à garder pour elle un scoop, il s'attendait à voir débarquer sa mère dès l'aube.

D'un pas décidé, Gina entra. Stupéfaite, elle promena les yeux autour d'elle. Pour une fois, elle n'aurait pas à se frayer un chemin entre des vêtements ou des assiettes sales.

— Que se passe-t-il, Del ? Ta maison est impeccable.

Il l'embrassa avec chaleur pour lui souhaiter la bienvenue.

— Aimerais-tu un morceau de pizza ? dit-il en lui désignant la cuisine.

— Je suis ici pour te poser quelques questions, commença-t-elle.

Puis, comme si elle enregistrait seulement la réflexion de son fils, elle demanda :

— Vient-elle de chez ton oncle Fazio ?

— M'imagines-tu aller ailleurs ?

Gina secoua la tête. Quelques mèches grises zébraient ses cheveux bruns. Comme elle l'avait souvent répété à Del, elle s'étonnait de ne pas avoir une chevelure complètement blanche, vu les tourments qu'il lui avait causés.

Lorsqu'ils pénétrèrent dans la cuisine, Melissa n'y était plus. Del se demanda si elle les avait entendus et s'était réfugiée dans sa chambre ou si elle était en train de nettoyer un autre endroit de la maison.

A la vue des deux assiettes posées sur la table, Gina fronça les sourcils.

— Tu m'attendais ?

— Mais non !

Sa mère aimait jouer les détectives privés ; quant à lui, il n'avait pas l'intention de lui révéler quoi que ce soit à moins qu'elle ne l'interroge directement.

— Pourtant, tu as mis le couvert pour deux personnes...

— Oui, maman.

Les mains sur les hanches, elle se tourna vers son fils :

— Va-t-il falloir t'arracher tous les mots de la bouche ? Ou vas-tu te décider à m'expliquer ce qui se passe ?

Gina découpa un petit morceau de pizza et le porta à sa bouche.

130

— Depuis le jour de ta naissance, tu ne m'as donné que du fil à retordre, Del. Alors maintenant, ça suffit. Où se trouvent ce bébé et sa maman ?

Si elle était devenue une nouvelle fois grand-mère, elle voulait au moins être au courant.

Del haussa les épaules. Il adorait sa mère mais refusait de répondre docilement à son interrogatoire en règle. Du reste, la voir perdre patience l'amusait beaucoup.

— Dans la pièce voisine, je pense.

Elle secoua la tête.

— Ton père — Dieu ait son âme ! — en serait malade ! Lui n'aurait jamais rempli la maison d'enfants avant d'être marié.

Del revit le visage empreint de solitude, complètement perdu, de Melissa à l'hôpital. Comment aurait-il pu l'abandonner à son triste sort ?

— Je n'ai pas pu faire autrement, maman.

Excédée, Gina leva les yeux au ciel.

— Tu entends ça, Giuseppe ? Il n'a pas pu faire autrement !

D'un air tragique, elle soupira.

— Tu as tout de ton oncle Joe. Il n'a jamais pensé qu'au sexe. Il en a fait voir de toutes les couleurs à ses pauvres parents.

Il était temps de lui révéler la vérité.

— Ce n'est pas mon bébé.

— Non ? s'enquit-elle, une note d'espoir dans la voix.

— Non, répondit Melissa qui entrait, Della dans les bras.

Cette femme était-elle de la famille de Del ? se demanda-t-elle. Il semblait très entouré et elle l'en envia.

— Il m'a seulement aidée à la mettre au monde.

Gina doutait encore. Elle avait eu six enfants et tous lui avaient joué des tours pendables, un jour ou l'autre. En particulier Del. Elle le dévisagea avec sévérité.

Il se leva.

— Maman, je te présente Melissa Ryan. Melissa, voici ma mère, qu'on appelle aussi l'œil de Moscou.

— Votre mère ? répéta Melissa, incrédule.

Elle lui paraissait si jeune ! Pourtant, elle dut reconnaître qu'ils se ressemblaient.

A son tour, Gina étudia l'inconnue qui lui faisait face. Si, en arrivant, elle n'était pas loin de la considérer comme une intrigante dont elle devait protéger son fils, la fragilité de la jeune femme la frappa. Manifestement, cette Melissa avait souffert.

132

Elle s'approcha pour jeter un coup d'œil au bébé. Della s'agitait. Immédiatement radoucie, Gina murmura :

— Puis-je la prendre ?

— Oui, bien sûr.

Del sourit. Il y a un instant, sa mère jouait avec talent les grands inquisiteurs. Et voilà qu'elle fondait totalement à la vue d'un nouveau-né.

Dès qu'elle eut l'enfant contre elle, Gina oublia ses griefs. Les yeux brillants, elle parla à la petite avec douceur.

— Qu'as-tu, ma jolie ? Tu as faim ? Tu ne me connais pas encore, voilà ! Je n'ai pas l'odeur de ta maman.

Melissa la fixait avec intensité et quand leurs regards se croisèrent, elles échangèrent un sourire.

D'un mouvement de menton, Gina désigna la pizza qui refroidissait sur la table.

— Pourquoi ne finiriez-vous pas votre repas ? Mon beau-frère n'a pas inventé la poudre mais ses pizzas sont succulentes. Pendant ce temps-là, je vais changer la petite.

Elle quitta la pièce en chantonnant la vieille berceuse de Del. Sa voix était magnifique.

— Dans votre famille, tout le monde rend-il spontanément service ?

133

— Nous sommes italiens, nous avons cela dans le sang. Cela dit, les tribus italiennes sont parfois un peu envahissantes.

Pour sa part, Melissa aurait adoré avoir une telle famille. Kathleen et Gina semblaient toujours prêtes à épauler leurs semblables. Sans parler de Del, bien sûr...

Mais cela serait une erreur. Si elle voulait s'en sortir, elle devait se reconstruire. Et se protéger.

— Et aucun d'entre vous n'a été étouffé par tant de sollicitude ?

Del songea à ses frères et sœur. Tous menaient une vie pleine et heureuse.

— Aucun. Maman sait quand s'arrêter, même si c'est toujours provisoire.

Il ouvrit une canette de soda et remplit leurs deux verres.

Avec un sourire, elle l'accepta et repartit :

— Comme vous.

Il se mit à rire.

— Comme moi. C'est héréditaire !

Melissa finit son assiette. Devait-elle en reprendre ? La pizza était vraiment un régal.

— En ce qui me concerne, j'ai fini par oublier qui j'étais à force d'être avec...

— Votre mari.

Sans le vouloir, Del avait achevé sa phrase à sa place. Gêné, il la resservit, sans oser la regarder en face.

— Avec Alan, corrigea-t-elle.

C'était un mensonge par omission...

« Tu es lâche », se reprocha-t-elle.

— J'étais tellement occupée à rêver que j'en ai oublié de vivre. Alan m'a tout pris.

N'avait-elle donc pas conscience de sa grande valeur ? s'étonnait Del.

— Pas tout. Vous avez seulement besoin de reprendre votre envol.

A l'expression de la jeune femme, il devina qu'il l'embarrassait. D'un air décontracté, il poursuivit :

— Mais ne vous pressez pas. J'aime que ma maison soit bien rangée.

Melissa se mit à rire. Et comme par un fait exprès, Gina revint, sans le bébé.

— Elle dort, dit-elle.

Puis elle s'assit à côté d'eux et se tourna vers Melissa :

— Qu'avez-vous fait à cette maison ? Elle n'a plus rien d'un taudis et il y a même des serviettes propres dans la salle de bains. C'est vous qui l'avez nettoyée, n'est-ce pas ?

Melissa eut envie de disparaître sous terre.

— Oui, répondit-elle du bout des lèvres.

Gina regarda son fils.

— Si tu la laisses s'en aller, tu agiras plus bêtement que ton oncle Antonio.

Comme Melissa le regardait à son tour sans comprendre, il expliqua :

— Mon oncle Antonio ne s'est jamais marié. Il aimait…

Il s'interrompit, cherchant le mot approprié.

— Il aimait la variété, dirons-nous.

— Et maintenant, il se retrouve tout seul comme un imbécile.

Sans mettre des gants, Gina lança à Melissa :

— Aimez-vous mon fils ?

Del faillit s'étrangler.

— Maman !

Sans se démonter, Gina poursuivit :

— Il m'a toujours causé des problèmes, je préfère vous prévenir. C'était un gros bébé, j'ai eu beaucoup de mal à le mettre au monde. Et en grandissant, il m'en a fait voir de toutes les couleurs, mon Delveccio.

Etonnée, Melissa se tourna vers lui.

— Delveccio est votre véritable prénom ?

— J'en fais rarement état. Tais-toi, maman !

— Est-ce une façon de parler à sa mère ?

— Tu m'y obliges en ennuyant mon invitée.

Il insista sur le mot « invitée » dans l'espoir de calmer les inquiétudes que la question de Gina avait forcément provoquées chez Melissa.

— Ma mère adore jouer les entremetteuses. Si elle l'avait pu, elle nous aurait fiancés dès la naissance.

Gina ne chercha pas à nier.

— Cela aurait été plus simple…

— Maman, Melissa est mariée.

Melissa hésita. Chaque fois qu'il évoquait son mensonge, elle culpabilisait un peu plus. Hélas, à présent, elle ne pouvait revenir en arrière… Comment aurait-elle pu avouer la vérité ? Lui dire qu'elle ne lui avait pas fait confiance ? Il ne méritait pas d'être traité ainsi.

Comme Gina regardait l'alliance qui ornait toujours son annulaire, Melissa sentit que, pour cette femme avisée, quelque chose ne collait pas. Si Melissa était l'épouse d'un autre, que faisait-elle dans cette maison ?

La main de Gina couvrit celle de Melissa. Et cette dernière y trouva tant de réconfort qu'elle faillit fondre en larmes.

— Où est votre mari, ma chère ?

Del savait que sa mère pouvait vraiment gêner les gens avec ses questions directes. Il eut pitié de Melissa et décida d'intervenir.

— Maman, Kathy a envie de sortir en amoureux avec Dennis, ce soir, et elle a besoin de quelqu'un pour surveiller les enfants. Tu dois y aller sans tarder.

Feignant de ne pas avoir entendu, Gina resta un long moment à regarder Melissa, comme si elle lisait quelque chose dans ses yeux qu'elle ne parvenait pas encore à décrypter. Tendrement, elle lui caressait le bras.

— Appelez-moi si vous avez des soucis, d'accord ? Del connaît mon numéro.

Elle considéra son fils et poussa un soupir.

— S'il ne l'a pas oublié…

Elle se leva.

— Et toi, Del, la prochaine fois que tu as besoin de quelque chose, téléphone-moi en premier, c'est compris ?

Les yeux au ciel, Del l'entraîna vers la sortie.

— Pourquoi le ferais-je ? Je n'ai pas toujours envie d'entendre un sermon.

Une fois seule avec lui, elle se hissa sur la pointe des pieds pour lui murmurer à l'oreille :

— Sois gentil avec cette fille, Del. Elle a beaucoup souffert.

— Je le sais, maman.

Il pensa à la collection de disques que Melissa avait absolument voulu emporter avec elle, à quelques éléments qu'elle avait laissés échapper dans la conversation.

— Je crois savoir d'où cela vient mais je n'en suis pas complètement sûr.

Gina fronça les sourcils.

— Cela a sûrement un rapport avec son mari. Où est-il ?

— Je l'ignore. Il l'a quittée.

Gina grommela quelques jurons italiens pour marquer sa désapprobation. Comment un homme pouvait-il abandonner sa femme et leur bébé ?

— Essaie de remettre la main sur lui.

— Pour quoi faire ?

— Pour le tuer.

Avec tendresse, elle lui caressa la joue.

— C'est la femme qu'il te faut.

Del sut confusément qu'il ne s'agissait pas du vœu pieux d'une mère rêvant de voir son fils se marier.

— Tu parles sérieusement ?

— Oui, répondit-elle avec solennité.

— Sur quoi te fondes-tu pour l'affirmer ?

— Je le sais, c'est tout.

Quand elle lui sourit, il eut l'impression de voir la jeune fille qu'elle avait été.

— C'est un don que les mères possèdent, une sorte d'intuition.

— A bientôt, maman.

Il l'embrassa et referma la porte. Il comprenait pourquoi son père avait été fou d'elle jusqu'à sa mort. Gina Santini était vraiment une personne exceptionnelle.

Lorsque la porte claqua, Melissa se risqua dans le salon. Elle avait attendu, sentant que Gina avait envie de s'entretenir en tête à tête avec son fils.

— Elle est partie ?

— Oui, dit-il en riant. L'ouragan est rentré chez lui. Vous n'avez plus besoin de vous cacher !

Elle n'avait pas éprouvé l'envie de fuir Gina. Au contraire, elle regrettait que cette femme n'ait pas été sa mère. Si elle avait grandi sous son regard attentif, elle serait sans doute devenue plus forte, plus heureuse.

— Elle est un peu le diable en jupon, non ?

— Oui, elle a servi de prototype. Ne vous laissez pas impressionner.

140

— Son côté direct ne me dérange pas. En réalité, je l'ai trouvée très gentille.

— Elle ressemble parfois à un vrai bulldozer et…

— Pas du tout, le coupa-t-elle. C'est une maman attentive qui se soucie de sa progéniture.

Del devina qu'elle avait été une enfant solitaire, négligée par ses parents avant d'être abandonnée par son mari. Inutile de se demander pourquoi elle doutait d'elle-même et se méfiait des gens.

— Je vais la rappeler, si vous voulez, dit-il en feignant d'aller rouvrir la porte.

Melissa se mit à rire. Cela faisait longtemps qu'elle ne s'était pas sentie aussi légère, aussi détendue.

— Non, je crois que, pour une première fois, cela suffit.

Tandis qu'ils retournaient dans la cuisine, elle ajouta :

— Parlez-moi des autres.

— Quels autres ?

— J'ai rencontré Kathleen et je sais que Drew vivait ici avant son mariage. Mais comment s'appellent vos autres frères ?

Elle avait l'air d'avoir très envie de l'apprendre. Avait-elle des frères ou des sœurs quelque part ? Non, sans doute pas.

141

— Joe, Tony et Nick.

Melissa se rassit à table.

— Qui est l'aîné ?

— Nick. Mais je suis le plus grand par la taille.

Del ne put s'empêcher de bomber le torse. Nick et lui avaient toujours été en rivalité. A l'adolescence, leurs relations avaient été très conflictuelles mais, en devenant adultes, elles s'étaient adoucies. Ils s'aimaient profondément, même s'ils auraient été gênés de se l'avouer à voix haute.

Quand Melissa se leva pour faire la vaisselle, il la prit par les poignets.

— Arrêtez, avec votre éponge. Je vais plutôt vous raconter mes histoires de famille dans le salon, autour d'un verre de vin.

— Mais les assiettes sales…

Elle avait grandi avec l'idée que tout devait être en permanence impeccablement propre et rangé.

— Elles ne s'en iront pas. Vous avez assez lavé pour la journée. Vous avez besoin d'une petite pause.

— C'est vrai que je suis un peu fatiguée, reconnut-elle. Et j'ai des crampes.

— Je n'en reviens pas du travail que vous avez abattu. Le simple fait de regarder le désordre me

142

décourage d'avance. D'ailleurs, imaginer le mal que vous vous êtes donné m'épuise aussi. Installez-vous sur le canapé.

Avec un soupir de bien-être, elle se laissa choir au milieu des coussins. Del s'établit sur un tabouret, posa les jambes de la jeune femme sur ses genoux et se mit en devoir de lui masser les pieds.

— Vous allez voir à quel point c'est agréable, lui assura-t-il.

Troublée, elle tenta de s'écarter. Il la retint fermement.

— Pourquoi faites-vous cela ?

— J'ai des dons de kinésithérapeute. Après la naissance d'Erin, Kathleen a eu le même souci et mes soins l'ont beaucoup soulagée.

Peu à peu, il la sentait se détendre. Tout n'était pas perdu.

— Cela vous fait-il du bien ?

— Oui ! C'est délicieux.

— Plusieurs filles ont eu envie de m'épouser à cause de mes mains, voyez-vous.

Elle n'en doutait pas. Il savait, elle l'aurait juré, caresser une femme avec la même douceur, la même sensualité, et la rendre folle de désir. Ne la désarmait-il pas complètement, d'un simple regard ?

Qu'est-ce qui n'allait pas chez elle ? Elle venait d'avoir un bébé, d'être abandonnée. Et elle commençait à penser au désir, à des caresses… Avait-elle perdu la tête ?

Oui, probablement. Mais elle n'avait pas la force de résister.

Del ne comprit pas comment il la prit dans ses bras. Un instant plus tôt, il lui massait les pieds sans la quitter des yeux. Puis, soudain, il se retrouva à l'embrasser comme un fou…

Et, en toute honnêteté, il était fou de cette femme, en effet.

9

Comme Del prenait son visage entre ses mains, un long frisson parcourut Melissa. Il lui chuchotait des mots tendres, des mots d'amour qu'elle mourait d'envie de croire…

C'était trop bon pour être vrai.

Il mordillait ses lèvres, cherchait à prendre sa bouche et elle sentait ses résistances s'envoler.

— Embrasse-moi, Melissa.

En proie à une indicible angoisse, elle balbutia :

— Je ne peux pas, Del. Je ne peux pas.

Mais incapable de s'en empêcher, elle répondait à son étreinte.

Avec un gémissement, elle s'abandonna à ce baiser et oublia le reste : son passé, les recommandations de sa mère, ce que la vie s'était chargée de lui apprendre. Tout. Gagnée par un feu dévorant, elle se laissait envahir par le plaisir, le cœur battant.

Elle retombait si vite dans les griffes de la passion qu'elle en avait le vertige. Son cerveau lui ordonnait de repousser Del, de ne pas se perdre dans les limbes du rêve. Or elle n'en avait pas la force et elle s'accrocha à lui comme à un point d'ancrage.

Loin de se sentir libérée, elle se savait au contraire aveuglée par les sentiments qui l'étreignaient.

Bouleversé, Del aurait été incapable d'expliquer ce qu'il éprouvait, ce qui lui arrivait. L'entraide et la solidarité comptaient beaucoup pour lui. Quand quelqu'un de son entourage avait besoin d'un coup de main, il répondait toujours présent. Voilà pourquoi il avait accueilli Melissa chez lui. Mais il savait bien que ce qu'il ressentait pour elle n'avait rien à voir avec l'altruisme et la générosité.

L'existence qu'il menait lui plaisait. Il n'avait vraiment pas envie qu'une femme et son enfant viennent semer la pagaille dans sa vie. En tout cas, il s'en était persuadé. Jusqu'au jour où il avait fait sa connaissance…

Sans plus réfléchir, il l'étreignait avec fougue. Les sensations délicieuses que le contact de sa bouche faisait naître en lui l'enivraient. Il avait besoin de la toucher, sa douceur lui devenait soudain vitale.

Lentement, craignant qu'elle ne le repousse, il hasarda une main sur ses seins.

Affolée, Melissa songea qu'elle devait l'arrêter, le repousser. Aucun mot ne franchit ses lèvres. La tendresse de ses caresses la submergeait. Il l'effleurait avec une sorte de dévotion, comme une œuvre d'art, un objet précieux. Cela lui donna envie de pleurer. Avec un gémissement, elle répondit à ses baisers fiévreusement, le corps plaqué au sien.

Il n'avait pas le droit de l'embrasser, Del le savait. Approcher cette femme était interdit. Elle venait de mettre au monde l'enfant d'un autre homme.

Dans un effort presque surhumain, il se ressaisit et s'écarta légèrement. S'il tremblait de tous ses membres, il tenta de le cacher derrière un trait d'humour.

— Alors ? Tes crampes vont-elles mieux ?

Il essayait d'alléger l'atmosphère et elle lui en fut reconnaissante, même si une partie d'elle-même avait envie de prendre tout ce qu'il lui offrait.

Le visage enfoui dans son cou, elle se sentait bien, comblée.

— Tu as soulagé ta sœur de la même façon ?

Il se mit à rire.

— Non, tu as eu droit au traitement spécial…

Quand Del entendit Della pleurer, il se sentit

soulagé. L'enfant lui donnait l'occasion de bouger, d'oublier le désir qui le torturait.

— Je crois que la princesse est réveillée. Je ne comprends pas ! Les berceuses de ma mère nous plongeaient dans une léthargie totale pendant des heures.

Ressentant la nécessité de mettre un peu de distance entre eux, il se leva.

— Avec le temps, j'ai sans doute tendance à embellir mes souvenirs.

— Oui, reconnut Melissa tristement. C'est souvent le cas.

Pourtant, les siens devenaient plus vifs. Elle se rappelait notamment que, chaque fois qu'elle avait espéré quelque chose, la réalité l'avait toujours déçue.

— Je vais voir ce qu'elle veut.

— Non, je m'en charge.

— Mais je…

— Tu peux faire la vaisselle puisque tu sembles y tenir beaucoup. Moi, j'ai envie de voir mon bébé.

Son bébé. Comme s'il était le père de Della. Melissa le regarda quitter la pièce. Si les choses avaient été différentes, si…

Hélas, Del n'était pas celui qui avait conçu cette enfant en lui murmurant des mots d'amour.

Avec amertume, elle se moqua d'elle-même. Del semblait différent. Et peut-être mettrait-il davantage de temps qu'Alan à lui montrer son vrai visage. Mais un jour, elle le savait, il la ferait souffrir.

Je ne le permettrai pas, se promit-elle en se dirigeant vers la cuisine.

C'était plus facile à dire qu'à faire, certes. Mais la prochaine fois, elle serait plus vigilante et empêcherait Del de l'approcher.

— Tu m'as l'air bien fatigué, mon vieux Santini, remarqua Larry en envoyant une bourrade amicale dans le dos de Del. Comment ça se passe ?

— Ça va, ça va.

En réalité, il était épuisé. Trois semaines de nuits blanches finissaient par saper son énergie.

— Ton invitée est toujours là ? s'enquit son collègue, un sourire ironique aux lèvres.

Del comprit que son ami s'expliquait ainsi sa fatigue.

— Mes invitées, corrigea-t-il. Les cris de la plus petite feraient pâlir d'envie le beau Tarzan.

— Et l'autre ?

Del revit le visage de Melissa, lorsqu'il l'avait quittée ce matin. Peu à peu, la jeune femme reprenait des couleurs et perdait son regard hanté. Elle riait plus facilement. Toutefois, quand leurs mains ou leurs corps se frôlaient par inadvertance près du berceau, ses beaux traits se figeaient encore d'inquiétude.

— Pour me remercier de mon hospitalité, elle nettoie la maison de fond en comble. Je ne retrouve plus rien.

La seule chose à laquelle elle n'avait pas touché était son arme de service, uniquement parce qu'il le lui avait interdit. Autrement, elle l'aurait astiquée aussi, il en était certain.

Larry éclata de rire.

— Des nouvelles de son mari ?

— Aucune.

Sans doute valait-il mieux pour lui qu'il reste caché. Mais son existence compliquait la situation. Et beaucoup. Si Del désirait Melissa comme il n'avait jamais désiré personne, son statut de femme mariée l'empêchait d'aller plus loin. Il ne voulait pas d'une aventure sans lendemain avec elle, il rêvait d'une vraie relation, d'une belle histoire d'amour. Même absent, l'époux se dressait entre eux et paralysait Del…

150

Les deux amis firent une pause devant la machine à café. Larry en était un gros consommateur.

— La vie est drôlement faite, dit-il en introduisant une pièce de monnaie dans l'appareil. Beaucoup de types cherchent une fille pour un soir et adoreraient être à ta place, ne pas être obligés de s'engager puisque l'intéressée est déjà prise. Une chance pour toi qu'aucun d'entre eux n'ait été sur la route ce jour-là.

— Oui, une vraie chance.

Pourtant, Del n'en était pas certain. Si Melissa n'était pas entrée dans sa vie, il ne serait pas à l'agonie. Il coulerait des jours beaucoup plus tranquilles.

Et beaucoup plus ternes.

Larry le considéra d'un œil pensif.

— Tu devrais quand même trouver le temps de te reposer, vieux. Tu as vraiment l'air d'un zombie.

Son collègue avait raison. Mais s'il voulait être honnête avec lui-même, Del devait admettre que les nuits agitées de Della n'étaient pas la seule cause de son état second.

Melissa regarda Del. Assis en face d'elle à table, il lui donnait l'impression d'être sur le point de piquer du nez dans son assiette. Qu'il était séduisant ! Et c'était bien le problème. Ses sentiments pour lui s'accroissaient de jour en jour, elle en était malade. Bientôt, il lui faudrait partir. Elle lui avait imposé assez longtemps sa présence. Et si elle tardait à s'en aller, elle ne trouverait plus le courage de le faire. Il serait alors contraint de la mettre dehors, ce qui serait pire que tout.

— Je suis désolée.

Del battit des paupières. Pourquoi était-elle désolée ?

— Della t'a encore empêché de dormir, n'est-ce pas ?

Avec un soupir, il repoussa son assiette. Il était trop fatigué pour avoir faim.

— De toute façon, je n'aurais pas fermé l'œil de la nuit. J'avais trop de choses à l'esprit.

— Cela concerne ton travail ?

— D'une certaine façon.

Elle se leva et prit leurs assiettes pour les laver.

— As-tu envie d'en parler ?

— Oui.

Attendant qu'il poursuive, elle se tourna vers lui. Elle voulait partager ses soucis. Comme une amie.

Mais il la surprit en lui lançant :

— Quelle est ta couleur préférée ?

— Pardon ?

Soudain, Del ne ressentait plus de fatigue.

— J'articule mal ?

Elle mit un peu de détergent dans l'évier rempli d'eau chaude.

— Non, j'ai très bien compris ce que tu viens de dire mais... moins bien le rapport avec ton métier.

— J'essaie d'en apprendre davantage sur toi.

De nouveau, elle se renfermait comme une huître. En trois semaines, il n'avait pas avancé d'un pouce.

— Je ne sais rien de toi ou presque. Ce serait gentil de ta part de me répondre.

Elle considéra la mousse qui couvrait les assiettes.

— Le bleu.

Perplexe, il se pencha en avant. Il aurait aimé s'approcher d'elle mais il craignait de l'effrayer.

— Pardon ?

— Ma couleur préférée est le bleu.

Il sourit.

— Et où es-tu née ?

Melissa se mordit la lèvre. Elle avait fait une

erreur. Moins il en saurait sur elle, mieux cela vaudrait.

— Je ne pense pas que…

Se levant, il s'avança vers elle.

— Eh, ne t'arrête pas, nous étions bien partis !

La mimique qui se peignit sur son visage était presque comique. Après tout, quelle importance ?

— En Georgie.

Il prit un torchon et se mit à essuyer la vaisselle. Autrefois, il la laissait toujours sécher dans l'égouttoir.

— C'est un grand Etat. Peux-tu être plus précise ?

— Près de Savannah.

— As-tu des frères et sœurs ?

— Pas que je sache.

Un instant, cette réponse désarçonna Del. Une telle désinvolture ne ressemblait pas à Melissa. Il se rendit compte brusquement qu'elle n'avait jamais fait la moindre allusion à ses parents. Etait-elle orpheline ?

— Ai-je de nouveau fait une gaffe ?

Elle éclata de rire.

— Non, pourquoi ?

Il était très attentif à ses réactions. Elle n'avait

154

jamais rencontré quelqu'un comme lui. Pour le remercier de son hospitalité, il lui fallait répondre à ses questions. Et son passé n'avait pas d'importance. Plus maintenant.

Avec un sourire amer, elle poursuivit :

— Mon père nous a quittées, ma mère et moi. Et elle en a voulu au monde entier. Et à moi, en particulier…

— A toi ?

Comment cette femme avait-elle pu reprocher à son enfant le départ de son mari ?

— Oui, répondit tristement Melissa. Il ne supportait pas les responsabilités et la paternité en est une par excellence. Quand il est parti, elle s'est mise à détester tout le monde mais surtout elle-même. Et elle buvait beaucoup. Elle passait ses nuits à se soûler. Parfois, elle ne rentrait pas…

Del avait cessé d'essuyer la vaisselle. Maintenant, il comprenait mieux la situation.

— Ainsi, depuis toujours, ceux que tu as aimés t'ont abandonnée…

Et c'était à lui de lui montrer que le monde n'était pas uniquement peuplé d'égoïstes et d'irresponsables.

Les yeux baissés, Melissa rougit.

— Comment en sommes-nous arrivés à parler

de cela ? Je voulais juste m'excuser du fait que Della t'empêche de dormir et …

— Et pour la première fois, nous venons d'avoir une véritable conversation.

— Tu sais, moins tu en sauras sur moi, mieux cela vaudra.

— Ce n'est pas vrai.

Il avait envie de l'interroger davantage, de la rassurer. Mais il était trop tôt.

— As-tu déjà entendu parler de Disneyland ?

Quand il changeait de sujet, c'était du tout au tout.

Soulagée qu'il ne lui pose plus de questions indiscrètes, elle se détendit.

— Si ma mémoire est bonne, c'est un centre d'attractions ?

— Exact.

Il envoya le torchon sur une chaise mais la loupa et il tomba à terre.

— Je t'ai dit que je comptais y emmener mes neveux. Nous avions fixé une date. Demain. Tu nous accompagnes ?

Elle ramassa le carré de coton et le mit à sa place.

— Cela ne me semble pas une bonne idée.

— Pourquoi ? Ce serait génial, au contraire ! Kathleen viendra aussi.

— Mais…

Les mains posées sur ses épaules pour l'empêcher de détaler comme un lapin, il insista :

— Je t'en prie.

Elle ferma les yeux. Plus elle tâchait de se montrer forte, plus elle se sentait faible.

— Tu ne comprends pas la signification du mot « non » ?

Il éclata de rire.

— Eh bien, il faut croire que… non.

Peut-être devait-elle essayer un autre moyen.

— Ecoute, Del, tu as été incroyablement gentil avec moi…

Un « mais » allait suivre. Del ne lui laissa pas le temps de le placer.

— Femmes du monde entier, écoutez toutes ! Je suis l'homme de vos rêves !

Oui, pensa-t-elle, mais dans quelques jours, elle partirait, et tout serait terminé. Il ne lui resterait qu'un goût amer dans la bouche et un désir inassouvi.

Del avait envie de l'embrasser, de retrouver la douceur et la sensualité qu'il goûtait chaque fois sur ses lèvres. Au lieu de quoi, il prit ses mains dans les siennes.

— Je n'accepterai aucun refus. Il est temps pour toi de sortir de cette maison, de cesser le ménage et de te changer les idées. Cela fait trois semaines que tu habites ici et je ne t'ai emmenée nulle part.

— Et si nous allions au bal ?

La lueur qui éclaira un instant ses traits plut à Del. Il ne la voyait pas si souvent.

— Tu aimes danser ?

— Non, ce n'est pas ce que je voulais dire…

Il avait néanmoins vu la joie illuminer ses traits à cette perspective. Sans lui donner la possibilité de protester, il lui enlaça la taille, ravi de l'étreindre de nouveau, et alluma la radio. La musique qui s'en échappa était douce, parfaite. Del se mouvait avec grâce et souplesse au rythme lent du blues.

— Aurais-tu d'autres désirs enfouis ?

Le cœur de Melissa se mit à battre la chamade.

— J'ai peur de demander…

Elle s'esclaffa, elle se sentait gaie. Cela donna à Del l'envie de la faire rire encore, de décrocher la lune pour elle, d'oublier que ce n'était pas possible.

Il regretta qu'elle ne lui fasse pas encore entièrement confiance et plus encore, de ne l'avoir pas connue plus tôt, avant que la vie ne la blesse si cruellement.

— N'aie peur de rien, Melissa.

Hélas, elle ne pouvait le croire…

Melissa s'accrocha convulsivement à lui tandis que le dragon fonçait dans l'obscurité. Dehors, Kathleen s'occupait des quatre enfants. Elle avait insisté pour que Melissa lui laisse la petite et prenne un peu de bon temps avec Del.

Un cri de frayeur s'échappa des lèvres de la jeune femme et se mua bientôt en éclat de rire. Del eut l'impression d'entendre un enfant heureux, l'enfant qu'elle n'avait jamais pu être. Il se félicita de l'avoir forcée à venir. Ce matin, alors qu'ils s'en allaient, elle avait encore tenté de se rétracter, mais il ne l'avait pas laissée faire.

Elle avait fini par céder, et elle devait avouer qu'elle ne s'était jamais autant amusée.

— Souris, lui ordonna Del en pointant son zoom dans sa direction.

Melissa entendit le déclic de l'appareil mais il

était trop tard pour dissimuler son visage derrière ses mains.

— Tu gâches de la pellicule, protesta-t-elle.

Tout en rechargeant, il se défendit :

— J'adore les souvenirs...

Depuis leur arrivée, il les mitraillait tous sans relâche.

— ... Chez moi, j'ai plusieurs boîtes à chaussures remplies de photos !

Elle n'en fut pas étonnée. Il avait du mal à jeter, elle l'avait déjà remarqué.

— Oh, oh ! s'écria-t-il devant son air songeur. Je parie que tu es déjà en train de penser à les trier.

Erin le tira soudain par le pantalon, les bras levés. Sans un mot, Del le hissa sur ses épaules. Ses yeux ne quittaient pas le visage de Melissa.

Elle rougit.

— J'aimerais faire des albums mais je ne vous connais pas assez pour classer les clichés par ordre chronologique.

— Il est facile d'y remédier, n'est-ce pas, Kathy ?

— Pour te simplifier la tâche, je te prêterai les nôtres, Melissa, fit la sœur de Del. Mais je crois que tu ne te rends pas compte de l'ampleur du travail qui t'attend...

160

Au contraire, Melissa le mesurait très bien. Plus elle s'impliquait dans la vie de Del, plus elle avait l'impression de se débattre dans des sables mouvants. Quand ils l'engloutiraient, il la quitterait. Elle n'aurait plus que ses yeux pour pleurer.

— Je peux m'en charger, dit-elle, luttant contre ses propres démons.

— Je suis sûr que tu t'en tireras très bien, fit Del. Il y a peu de choses que tu ne réussis pas.

Leurs regards se croisèrent et se rivèrent l'un à l'autre.

« Tout cela n'était qu'un rêve », pensa Melissa. Elle faisait semblant d'y croire… et cela n'avait pas d'importance tant qu'elle n'oubliait pas qu'il s'agissait d'une illusion.

10.

Une bouteille de champagne à la main, Del ouvrit la porte de chez lui. Puis il s'immobilisa un instant pour humer le léger parfum de Melissa, qui flottait dans la pièce. Cette fragrance délicate et fruitée le troublait chaque fois qu'elle chatouillait ses narines. Elle était à peine perceptible, et pourtant présente. Il lui fallait seulement prendre le temps de la remarquer, comme les changements que la jeune femme avait opérés dans son existence.

Après avoir aidé sa mère à élever ses frères et sa sœur, il avait acquis la certitude qu'il n'était pas fait pour le mariage. Il avait envie d'être libre, sans attaches. Sa famille d'origine lui suffisait et il n'éprouvait pas le besoin d'en fonder une. Il n'avait jamais eu le désir de nouer une relation amoureuse sérieuse.

Jusqu'à ce que Melissa entre dans sa vie à bord du tas de ferraille qu'elle appelait sa camionnette.

Il ne détestait pas l'ordre qu'elle avait instauré chez lui. Melissa l'obligeait à concentrer ses énergies sur un sujet au lieu de les éparpiller. Avant de la rencontrer, il appréciait la compagnie des femmes mais elles ne lui inspiraient ni passion ni projet d'avenir. Grâce à Melissa, il en venait à considérer autrement les responsabilités liées au mariage. Avec elle, il ne les craignait plus, elles lui paraissaient même épanouissantes.

Pour la première fois de son existence, l'idée d'avoir une famille à lui lui plaisait.

Sa famille.

Ce soir, lorsqu'ils auraient trinqué, peut-être aborderait-il l'éventualité qu'elle divorce de son mari. Il avait envie de l'épouser, qu'elle devienne sa femme et Della sa fille.

— Bonsoir ! Je suis là !

Il aimait rentrer chez lui, sachant qu'elle l'attendait.

Melissa se trouvait dans la cuisine et en entendant la voix de Del, elle frissonna.

Arrête, s'ordonna-t-elle. Ressaisis-toi. La situation n'est que provisoire, ne l'oublie pas.

A la hâte, elle s'essuya les mains sur un torchon et rejoignit Del dans le salon.

Dès qu'elle le vit, elle sentit son cœur s'accélérer.

Comment un homme vêtu d'un simple jean et d'une chemise chiffonnée pouvait-il lui paraître si séduisant, l'émouvoir à ce point ?

Elle était pieds nus et en un éclair, Del l'imagina entièrement dévêtue, pressant son corps de femme contre le sien.

Il se rendit compte qu'il serrait le goulot de sa bouteille au risque de la briser.

— Du champagne ? s'étonna Melissa.

— Oui, nous avons quelque chose à fêter ! dit-il d'un air mystérieux en l'entraînant vers la cuisine.

— Tu as attrapé un malfaiteur ?

Peut-être sauteraient-ils le dîner, songeait-il, et passeraient-ils la soirée à faire la fête. L'idée lui souriait. Il lui montrerait comment elle devait être traitée, aimée.

— Non. Je veux marquer la première nuit complète de Della. Elle a dormi plus de huit heures d'affilée, ça s'arrose !

Lorsque Melissa s'était réveillée ce matin et avait consulté sa montre, elle avait craint le pire, la petite n'ayant pas pleuré à l'aube comme à son habitude. Mais Della allait bien et n'avait pas tardé à réclamer son biberon en hurlant à pleins poumons.

— C'est vrai, ce fut un grand moment !

Il résista, non sans mal, à la tentation de l'enlacer. Del Santini, l'ex-lycéen connu pour sa capacité à semer le désordre, perdait la tête pour une femme aux pieds nus.

— Tu ne te rends pas compte de la chance que nous avons. Drew n'a fait ses nuits qu'à quatre ans.

En s'esclaffant, elle mit les flûtes sur la table. Comme il aimait son rire ! Incapable de se maîtriser plus longtemps, il posa la bouteille et la prit dans ses bras.

— Et puis nous avons autre chose à fêter aussi.

— Quoi donc ?

Elle ne savait pas à quoi s'attendre et se préparait toujours à une mauvaise nouvelle. En même temps, elle était impatiente d'entendre la suite. L'enthousiasme de Del était contagieux.

— Voilà un mois que tu habites ici.

A la manière dont il prononça ces mots, elle aurait pu croire qu'elle y vivrait toujours. Or, si elle voulait s'en sortir, elle ne devait pas oublier qu'il ne s'agissait que d'un hébergement provisoire.

Son sourire s'évanouit.

— J'avais justement envie d'en discuter avec toi.

— Ne recommence pas à m'expliquer comment tu vas me rembourser. Les heures que tu as passées à tout nettoyer, à tout ranger, représentent un loyer à vie.

— Del…

Quelque chose dans sa voix le mit en alerte et il se tendit. Allait-elle lui annoncer que son mari avait refait surface ? Qu'elle partait le rejoindre ? Il le craignait depuis le début.

— Oui ?

Elle jeta un coup d'œil sur le journal posé sur un coin de la table. Il était ouvert à la page des petites annonces.

— Je pense avoir trouvé du travail.

Intensément soulagé, il faillit l'embrasser.

— N'est-ce pas un peu prématuré ? Tu as mis Della au monde il y a à peine un mois et…

Avec douceur, elle se libéra de son étreinte. Il pouvait lui faire perdre la tête d'un simple regard, d'un seul sourire. Etre dans ses bras était trop dangereux.

— Autrefois, les paysannes accouchaient le matin et reprenaient leurs activités le soir même.

Tout en parlant, il s'activait sur la bouteille.

— Comme nous n'avons pas de basse-cour, il n'y a pas urgence…

166

Le bouchon sauta, cognant le plafond avant de retomber à terre.

Pendant qu'il remplissait les flûtes, elle repartit :

— J'ai besoin de travailler, Del, de me sentir indépendante.

Il le comprenait parfaitement. Lui-même avait toujours tenu à sa liberté comme à la prunelle de ses yeux. Cela dit, lorsqu'il l'avait acquise, il s'était rendu compte que dépendre de temps en temps des autres ne lui posait pas de problème. Combien de temps faudrait-il à Melissa pour aboutir à cette même conclusion ? Y parviendrait-elle ?

— Parfait, fit-il. Mais ne te précipite pas sur n'importe quel emploi. Il n'y a pas le feu, je n'ai aucune intention de te mettre dehors, loin de là.

— Si j'attends trop longtemps, la place sera prise.

— De quoi s'agit-il ?

Il s'aperçut qu'il ne savait même pas quel métier elle exerçait autrefois. D'ailleurs, elle était restée très discrète sur tout ce qui la concernait.

— D'enseigner dans une maternelle privée.

Melissa prit le quotidien et lui montra l'annonce. Del vit la lueur qui brillait dans ses yeux. Comment ne pas partager sa joie ?

— Laisser traîner ce canard était une erreur, grommela-t-il.

Pourtant, il lui sourit, décidé à lui montrer qu'il la soutenait.

— Le hic, dit-elle, c'est qu'il va me falloir trouver une place dans une crèche pour Della…

L'idée d'abandonner sa fille aux mains d'étrangers lui faisait horreur. Mais elle n'avait pas le choix. Elle devait gagner sa vie. Et songer à l'avenir.

Del aurait pu facilement la culpabiliser pour la décourager, mais ce ne serait pas juste. Si elle voulait retravailler, il se devait de l'aider.

— Pourquoi ne pas demander à Kathy ?

— De s'occuper de Della ?

Comme il opinait, elle secoua la tête.

— Ta sœur n'a certainement aucune envie de se charger du bébé d'une autre !

— Elle fait partie d'une crèche parentale.

Une sonnerie retentit alors et Melissa abandonna son verre pour sortir une quiche lorraine du four. Tout en la posant avec précaution sur la table, elle reprit :

— De quoi s'agit-il exactement ?

— D'une association de mères de famille qui se relaient pour veiller sur leurs progénitures respectives quelques heures par jour.

168

— Cela doit être un travail énorme de gérer des bébés en groupe.

— Kathy adore. Surtout lorsque c'est le tour d'une autre de prendre en charge ses petits diables.

Melissa s'attabla et entreprit de découper la tarte.

— Je ne sais pas si j'en serais capable…

— Dans ce cas, tu participeras financièrement en achetant des couches, des crayons de couleurs, des livres…

Malgré ses doutes, elle se promit d'appeler Kathleen le lendemain pour obtenir de plus amples informations. Melissa aimait beaucoup la sœur de Del et lui faisait confiance.

— J'en discuterai avec Kathleen.

— D'abord, trinquons !

La jeune femme n'esquissa pas un geste. Puisqu'elle avait commencé à lui révéler ses projets, peut-être aurait-elle intérêt à aller jusqu'au bout. Ensuite, il n'aurait sans doute plus très envie de fêter leur mois de cohabitation.

— Del…

L'appétit subitement coupé, Del posa sa fourchette.

— Tu as autre chose à me dire, n'est-ce pas ?

Pourquoi un poids écrasait-il tout à coup sa

169

poitrine ? Avant qu'il ne rentre, elle s'était réjouie de sa décision. Mais à présent, elle n'arrivait plus à parler.

La gorge serrée, elle bredouilla :

— J'ai… j'ai aussi trouvé un logement. Si je décroche ce poste, j'aurai la possibilité de m'installer chez moi…

S'efforçant de demeurer impassible, Del s'enquit d'une voix posée.

— Pourquoi ?

— Je ne peux pas rester éternellement ici.

« Même si je le souhaiterais. »

De nouveau, il eut envie de lui demander pourquoi. Il se l'interdit. Si elle désirait s'en aller, il n'avait aucun droit de la retenir.

Peut-être cela valait-il mieux ainsi. Cela l'aiderait à prendre du recul. Ces temps-ci, Melissa occupait toutes ses pensées. Chaque fois qu'il la voyait, chaque fois qu'elle était dans la pièce, chaque fois qu'il l'imaginait, il était la proie d'un désir croissant. Il ne savait pas combien de temps il résisterait à la tentation permanente qu'elle représentait.

Mais il ne voulait pas qu'elle lui cède par gratitude ou pour une autre mauvaise raison. Si, un jour, les choses devaient aller plus loin, il avait envie que ce soit par amour et rien d'autre…

Del soupira. Il y avait aussi la question du mari. Tant qu'elle ne l'avait pas réglée, ils ne pouvaient pas aller plus loin. Elle obtiendrait facilement le divorce pour abandon du domicile conjugal. Mais elle n'avait jamais évoqué cette éventualité. Espérait-elle toujours le retour de son époux ? Pourquoi autrement refusait-elle ses avances ? Il sentait bien qu'il ne la laissait pas indifférente...

Il glissa un doigt le long de sa flûte.

— Si je comprends bien, nous allons surtout fêter ta nouvelle indépendance.

— Oui, ce serait bien.

Pourquoi n'en éprouvait-elle aucune joie ? s'interrogea-t-elle. Elle concrétisait enfin ses rêves et pourtant, elle était déçue. Au fond, elle aurait voulu qu'il proteste, qu'il insiste pour qu'elle ne change rien à leur arrangement, qu'il lui avoue qu'il...

Quoi ? Qu'il l'aimait ? Qu'il rêvait de vivre pour toujours avec elle ?

Bon sang, oui, elle en mourait d'envie et en même temps, elle avait besoin de se prouver qu'elle était capable de s'assumer.

D'un air solennel, il leva sa coupe pour porter un toast.

— A toi et à ton avenir.

« A notre avenir, si Dieu veut », pensa-t-il in petto.

Il reposa son verre et tenta de se concentrer sur la délicieuse tarte qu'elle avait confectionnée. Hélas, il n'avait plus faim.

— Tu vas devoir payer deux mois de loyer d'avance, lui fit-il remarquer.

— Si je décroche le job…

Au fond de lui, Del en avait la certitude. Si cette place n'était pas pour elle, elle en trouverait une autre.

— Ce sera sûrement le cas. Tu as déjà enseigné, non ?

— Oui, en Georgie et en Arizona.

Ainsi elle avait vécu dans ces deux Etats, ce qu'il ignorait. Une autre pièce à ajouter au portait de Melissa. Apparemment, elle avait réussi à poursuivre des études sans l'aide de ses parents. Ce qui prouvait qu'elle était une battante. Mais il le savait déjà.

— La femme de Nick, Krys, travaillait dans une école privée avant leur mariage. Ils sont moins regardants sur les diplômes que dans le public.

Avec douceur, il lui couvrit la main de la sienne pour ajouter :

— Tu vas les épater.

Elle avait besoin d'encouragements. Le projet qu'elle avait en tête la rendait nerveuse.

— Je pourrais peut-être contracter un petit emprunt…

— Si tu n'as pas de garant, aucune banque n'acceptera.

Elle n'avait naturellement personne pour se porter caution, songea-t-il. Lui mis à part.

— Je te prêterai de l'argent.

— Non, répondit-elle d'un ton ferme. Tu m'as déjà beaucoup donné.

— Et alors ? Tu en as besoin et je peux le faire.

Sachant qu'il était inutile de le contredire, elle sourit. Cet homme était la générosité incarnée.

— Je vais être en dette avec toi, ma vie durant…

— Cela ne pose aucun problème.

Il avala une gorgée de champagne avant de planter ses yeux dans les siens. Puisque l'heure était au changement…

— J'ai une question à te poser.

— Oui ?

Il semblait soudain très grave.

« Ne me demande pas de rester », le suppliat-elle en silence. « J'en ai très envie mais… ce serait une erreur ».

— Ne crois-tu pas qu'il serait temps pour toi de divorcer ?

A ces mots, il vit son regard s'assombrir. Elle se refermait comme une huître… Cette fois, il passa outre.

— Tu démarres une nouvelle vie. Formidable. Mais ne penses-tu pas qu'il faudrait en profiter pour liquider l'ancienne ?

Pressentant qu'il allait trop loin, il se ressaisit. Si une sourde colère s'emparait de lui, il n'avait pas le droit de la laisser lui dicter ses paroles.

— De plus, je suis attaché à des valeurs démodées et je ne m'autorise pas à nouer des relations amoureuses avec une femme mariée. Et j'aimerais beaucoup en nouer. Avec toi.

— Del, je…

Il refusait d'entendre de belles excuses.

— Peut-être es-tu encore attachée à lui. Mais il t'a quittée, Melissa. Il est parti.

Il avait envie de la secouer, de lui faire retrouver son bon sens. Il avait surtout tellement envie de faire l'amour avec elle qu'il ignorait comment il arrivait à se maîtriser.

Une vague de culpabilité envahit Melissa. Il

s'était montré si gentil, si généreux, avec elle. Il allait la détester quand il saurait qu'elle lui avait menti. Or elle ne pouvait supporter plus longtemps ce mensonge… Tant pis si elle le décevait.

— Del, je ne suis pas mariée.

Un long moment, il la dévisagea, les yeux ronds comme des soucoupes et fixa l'alliance.

— Pardon ?

Craignant de fondre en larmes, Melissa pesa ses mots. Pleurer ne servait à rien, jamais.

— Je l'ai achetée moi-même. Le regard des gens dans la rue sur mon gros ventre me gênait. Je me sentais une moins-que-rien et je ne voulais pas que mon bébé paie le fait de ne pas avoir de père.

Elle lui avait menti. Il l'aimait et elle lui avait menti, pensait Del. Ses mots lui broyaient le cœur comme une lame.

Il s'exprima d'une voix calme, si calme que cela lui fit peur. Elle aurait préféré qu'il crie.

— Pourquoi ne me l'as-tu pas dit ? Pourquoi m'as-tu laissé me comporter comme un imbécile ?

Luttant contre les larmes qui brûlaient ses paupières, elle ferma les yeux. S'il s'était mis à hurler, elle aurait pu faire face. Mais il n'élevait pas la voix. Il était blessé, elle le voyait. Et elle se reprochait de s'être montrée si injuste envers lui. Tout était sa faute.

— Je pensais que c'était la meilleure manière de nous empêcher de déraper...

— Et cela a marché, non ?

Il avait envie de la blesser à son tour. Pourquoi ne lui avait-elle pas fait confiance alors qu'il lui avait ouvert sa maison, son cœur, sa vie ? Alors qu'il était tombé amoureux d'elle ?

Avec effort, Del parvint à contenir son dépit. Il prit une profonde inspiration.

— Donc, tu n'es pas mariée, répéta-t-il comme pour se persuader qu'il ne rêvait pas, que c'était bien la réalité.

— Non.

— Bon, cela t'économisera les frais d'un divorce...

Il y a longtemps, il avait appris que les sentiments négatifs étaient stériles. Et il voulait passer le reste de son existence avec elle.

— ... Et cela simplifie la situation.

— Non, en rien.

Elle aurait voulu que Della se réveille à cet instant précis mais visiblement, l'enfant dormait à poings fermés.

— Pourquoi ?

Il lut la réponse dans ses yeux. Le fait qu'elle n'ait jamais été mariée à ce type ne l'avait pas empêchée de souffrir à cause de lui. En réalité, cela ne changeait rien. Pour elle. Même si, pour lui, il en était autrement.

Et, dans l'immédiat, ce n'était pas lui mais elle qui avait de l'importance. Jusqu'à ce qu'elle puisse mettre un point final à tout ce qui lui était arrivé, il savait qu'une relation entre eux n'avait aucune chance de marcher.

Il ne pouvait que continuer, s'efforcer de lui faciliter les choses. Et attendre.

Si, à présent, la quiche était froide, son appétit revenait.

— Quand rencontres-tu ton éventuel employeur ?

— Je l'appellerai demain pour solliciter un entretien.

— Formidable. Je demanderai à Kathleen de venir s'occuper de Della pendant ton rendez-vous.

Il remplit de nouveau leurs flûtes, même si l'envie de faire la fête l'avait quitté depuis longtemps.

Un moment, Melissa regarda les bulles danser dans la sienne.

— Del…

Qu'y avait-il encore ? Qu'allait-elle lui annoncer cette fois ? Il se sentait vidé, à bout de forces.

— Oui ?

— Je suis navrée.

— De quoi ?

— De compliquer ta vie, de ne pas me sentir libre, de tout.

— Ne sois pas navrée. Contente-toi d'être heureuse.

Il se promit qu'un jour, elle le serait. Avec lui.

— Si j'étais encore capable d'aimer..., commença-t-elle.

« Si je m'autorisais un jour à aimer », corrigea-t-elle in petto.

— ... ce serait toi que j'aimerais.

— Ne t'inquiète pas, assura-t-il en souriant. Cela se fera.

Elle regretta de ne pouvoir le croire.

11.

— Tu sais, ce n'est pas un château, expliqua Melissa à Del en glissant la clé dans la porte de son appartement.

Elle n'osait pas lui dire que son avis compterait beaucoup pour elle et serra nerveusement contre elle Della, bien enveloppée dans son kangourou.

— Mais après un petit nettoyage et une couche de peinture, il devrait être présentable.

Lorsqu'elle lui avait parlé pour la première fois de son nouveau logement, elle lui avait fait le même commentaire et Del finissait par se demander si elle avait loué un taudis.

Il portait d'une main le berceau de Della, de l'autre, l'ours en peluche géant.

Melissa poussa le battant et l'invita à entrer. Elle savait qu'il trouverait l'endroit sordide car il l'était. Mais pour l'instant, elle n'avait pas les moyens de s'offrir autre chose. Plus tard, quand sa situation

179

se serait améliorée, lorsqu'elle aurait l'autorisation d'enseigner dans le public, elle trouverait un logis plus grand, plus lumineux, plus agréable. Celui-ci présentait au moins l'avantage d'être tout près de son travail et pas très éloigné de chez Del ni de chez Kathleen.

Del posa son chargement et promena lentement les yeux autour de lui.

— Je dirais qu'un grand nettoyage et trois couches de peinture seront nécessaires.

Pourquoi avait-elle envie de vivre dans cet appartement sombre et exigu alors qu'elle aurait pu rester chez lui ? Non, il s'était juré de ne pas remettre le sujet sur le tapis. Elle voulait prendre son indépendance et il n'y avait pas à en discuter. Pour le moment.

Il aida la jeune femme à décrocher le kangourou et prit Della dans ses bras. Dans le mouvement, ses mains effleurèrent les seins de Melissa et un frisson le parcourut.

S'éclaircissant la gorge, il poursuivit :

— Comment vas-tu te meubler ?

Les mains dans les poches de son jean, elle haussa les épaules. Dans l'immédiat, elle n'avait pas de quoi s'acheter quoi que ce soit.

— Grâce à toi et à Kathleen, Della a un lit, c'est

l'essentiel. Quant à moi, pour l'instant, je vais dormir dans un sac de couchage.

— Ce sera spartiate ! Comptes-tu aussi manger par terre ?

— Je me débrouillerai. Dans quelque temps, je tâcherai de dénicher l'indispensable dans une brocante.

Par la fenêtre de la cuisine, Del vit arriver quatre voitures dans la cour de l'immeuble et sourit.

— Dans quelque temps ? A mon avis, tu n'as plus que trois minutes à attendre.

Stupéfaite, Melissa le dévisagea. De quoi parlait-il ?

Comme en réponse à sa question, la sonnette de l'entrée retentit. La jeune femme fronça les sourcils. Qui venait lui rendre visite ? Elle n'avait encore prévenu personne de son installation. Et quand son employeur lui avait demandé son adresse, elle avait donné celle de Del.

Lorsqu'il ouvrit grand la porte, Melissa resta bouche bée. Une dizaine de personnes se tenaient sur le seuil, les bras chargés de meubles et de cartons.

— Mais, mais… ? balbutia-t-elle.

Del recula pour laisser entrer les déménageurs.

— Melissa, j'aimerais te présenter le reste de ma famille.

Elle tenta de repérer qui était qui mais c'était impossible. Ils étaient trop nombreux.

Soudain, Gina Santini fendit la foule, tout sourires.

— Vous ne pouviez pas vivre dans un appartement vide, ma belle. Nous vous avons apporté de quoi le meubler.

Melissa savait qu'ils avaient pensé bien faire. Cependant, il s'agissait de charité pure et simple.

— Je ne peux pas accepter.

— Vous nous rendez service ! s'écria une blonde qui tenait par la main une fillette. Chez les Santini, on ne jette jamais rien et ces meubles encombraient nos garages depuis des années. Enfin, nous allons avoir un peu de place !

— Melissa, je te présente Krys, une de mes belles-sœurs, lança Del. C'est la femme de Nick, ajouta-t-il en désignant un grand brun chargé d'une pile de chaises.

Ce dernier la salua d'un mouvement du menton.

D'un air catastrophé, la petite fille sautillait sur place.

— Maman, s'il te plaît !

— Jennifer a très envie de faire pipi, expliqua Krys avec un sourire d'excuse. Pourriez-vous m'indiquer les…

Elle fureta autour d'elle.

— Ne vous dérangez pas, je trouverai.

Melissa s'approcha de Del.

— Sont-ils tous comme ça ? lui dit-elle à l'oreille.

Visiblement, aucun des Santini n'était timide ou réservé.

— Jusqu'au dernier, lui confirma Del. Il n'est pas évident de survivre dans une telle famille, crois-moi.

Dans un état second, elle les regarda envahir les lieux. Elle vit Drew et sa femme, Heather, laquelle était *très* enceinte. Un courant de sympathie s'établit immédiatement entre elles deux.

Gina prit la direction des opérations :

— Tony, Joe, apportez les deux fauteuils. Et mettez-les là. Cela vous va, Melissa ?

— C'est parfait.

Sous le coup de la surprise, elle avait du mal à recouvrer ses esprits.

La mère de Del continuait à gérer son petit monde avec autorité.

— Et toi, assieds-toi, dit-elle à Heather d'un ton sans réplique.

— Mais j'ai envie de donner un coup de main ! protesta sa belle-fille.

Kathleen apparut alors, traînant ses trois enfants derrière elle. Un homme distingué les accompagnait.

— Désolée, Del, nous sommes en retard.

— Nous venons d'arriver, la rassura Tony.

D'un air indolent, il s'adossa au mur et croisa les bras, faisant gonfler ses biceps.

Maintenant qu'ils étaient tous là, Melissa regarda ce qu'ils lui avaient apporté. Il y avait toutes sortes de meubles et d'accessoires mais bizarrement, tout semblait assorti et s'intégrait à merveille à l'appartement. Les placards de cuisine s'inséraient à la perfection entre l'évier et le frigo, le canapé trouva sa place entre les deux fenêtres du salon, le miroir doré au-dessus de la cheminée. La famille de Del avait pensé à tout pour équiper le living-room et les deux chambres, y compris aux draps, aux serviettes, aux affaires de toilette.

Melissa avait de plus en plus de mal à contrôler ses émotions. Elle n'aurait jamais cru que des gens comme les Santini puissent exister. Une telle générosité venant de personnes qui ne la connaissaient même pas la sidérait.

— Je ne sais pas quoi dire, murmura-t-elle à l'oreille de Del.

— Eh bien, pourquoi pas « que la fête commence ! » ou plutôt « que les peintures commencent ! » ?

— Les peintures ? répéta-t-elle faiblement.

— Tony travaille dans le bâtiment. Sous ses directives, nous allons repeindre les pièces. En nous y mettant tous, il ne nous faudra que quelques heures.

Tony avait apporté son matériel, des vêtements de travail. Il ne restait plus à Melissa qu'à choisir les coloris.

— Bonjour, Melissa, dit-il. D'après Del, vous aimez le bleu, alors je vous ai apporté…

Levant les yeux, il se rendit compte que la jeune femme était au bord des larmes. Que se passait-il ? Peut-être Del s'était-il trompé sur sa couleur préférée.

— Mais si cette teinte ne vous plaît pas, j'ai…

Melissa secoua la tête, la gorge serrée.

— Excusez-moi, balbutia-t-elle.

Et elle courut se cacher dans la pièce voisine.

Les Santini se regardèrent bouche bée, sans

savoir quoi faire. Del se précipita à la suite de la jeune femme.

— Je reviens, lança-t-il aux autres.

Il entra dans la chambre et referma la porte derrière lui. Secouée de sanglots, Melissa lui tournait le dos. Les pleurs le désarmaient toujours et il hésitait sur la conduite à tenir. Lorsque ses neveux ou sa nièce avaient du chagrin, il les consolait avec un bonbon ou un gros câlin. Mais aucun de ces deux moyens ne fonctionnerait avec Melissa… Luttant contre l'envie de la prendre dans ses bras, il s'éclaircit la gorge.

— Ecoute, je suis désolé que cette invasion familiale te bouleverse à ce point. Si tu veux, je peux leur demander de partir…

Elle se tourna vers lui et secoua la tête.

— C'est très agréable d'être envahie par tant de gentillesse. Seulement, personne n'a jamais pris soin de moi auparavant… c'est la première fois que cela m'arrive.

— Tes larmes sont donc des larmes de joie ?

Comme elle acquiesçait, il lui essuya tendrement les joues.

— J'en suis soulagé.

Melissa comprit soudain qu'elle l'aimait. Cela ne

changeait rien à la situation, ni à ce qu'elle devait faire. Mais elle était tombée amoureuse de lui.

Quand il l'enlaça, elle se blottit contre lui. Elle était si heureuse de l'avoir chez elle, avec elle, près d'elle…

— Comment vais-je pouvoir vous remercier de ce que vous faites pour moi ?

Il ne put s'empêcher de lui embrasser les cheveux.

— Un jour ou l'autre, ils auront besoin d'un coup de main et te feront signe. Ne sois pas si obsédée par l'idée de leur renvoyer l'ascenseur.

Elle leva les yeux vers lui. Parlait-il sérieusement ?

— Obsédée ? N'est-ce pas normal ? S'ils comptent repeindre mon appartement, le moins que je puisse faire pour eux est de leur préparer un déjeuner.

— Inutile. Ma mère a déjà prévu la question du ravitaillement et a appelé oncle Fazio.

Melissa en eut aussitôt l'eau à la bouche.

— Des pizzas ? Formidable !

Elle se mit à rire. Si elle n'avait pas vécu ce qu'elle avait vécu, si la réalité n'avait pas systématiquement ruiné ses rêves, elle aurait presque pu croire que la chance lui souriait enfin.

Or elle savait qu'il n'en était rien.

Del et sa famille la plongeaient dans un univers merveilleux mais le passé était toujours là et elle ne l'oubliait pas.

Les doigts mêlés, ils rejoignirent le salon.

Dès leur entrée, les conversations s'interrompirent et chacun se tourna vers eux, à la grande gêne de Melissa.

— Ça va ? s'enquit Gina en lui prenant le menton pour la dévisager.

Ses mains étaient tendres et douces. Se remémorant celles de sa propre mère, qui ne l'avait jamais caressée ni consolée, des larmes brûlèrent de nouveau les paupières de Melissa.

— Juste un peu de baby blues, dit-elle. Cela va mieux.

Si Gina ne fut pas dupe, elle n'insista pas.

— Tant mieux.

Avec autorité, elle guida Melissa entre le canapé, la table, les lampes, entassés un peu partout.

— Maintenant, il est temps de dire aux garçons où vous souhaitez mettre vos meubles, pour vous sentir ici chez vous.

Kathleen criait sur son fils qui asticotait sa sœur, les frères de Del riaient en déballant des cartons. Heather avait branché la radio sur une station musicale. Quand Del lui lança un clin d'œil,

Melissa frissonna. L'appartement était rempli de bruits, de vie…

Et elle n'avait jamais ressenti tant d'amour autour d'elle.

Comme l'existence avec les Santini était différente de celle qu'elle avait connue dans son enfance ! Ou plus tard, chez sa tante Julia, où chacun devait marcher sur la pointe des pieds. Sa tante avait la main leste et la réflexion mordante. Chez elle ne régnaient que la peur et la haine.

Melissa s'aperçut soudain que Del cherchait à attirer son attention.

— Quelqu'un sonne, dit-il.

Il aurait bien été ouvrir mais la table et le canapé lui bloquaient le passage.

Non sans mal, Melissa parvint à se glisser jusqu'à l'entrée. La porte étant ouverte, elle ne comprit pas pourquoi son visiteur ne pénétrait pas simplement à l'intérieur, comme le faisaient les autres. Ils surgissaient en masse, les bras chargés de cadeaux, se dit-elle en souriant. Une assemblée de rois mages !

Sur le seuil, elle découvrit un homme d'une cinquantaine d'années. Faisait-il partie de la smala Santini ou était-ce un voisin venu se plaindre du bruit ?

Un sourire appréciateur se peignit sur les lèvres de l'inconnu.

— Ainsi, c'est vous l'élue ? Je m'explique mieux la métamorphose de Del.

— Je vous connais ?

Elle était certaine de ne l'avoir jamais vu.

— Pas moi, mais mes pizzas, oui. J'ai décidé de les livrer moi-même pour découvrir la raison de ce branle-bas général. Je comprends mon neveu. Si je vous avais rencontrée il y a vingt ans, vous m'auriez également fait un effet bœuf.

Tandis qu'il promenait les yeux sur elle comme un homme qui avait aimé beaucoup de femmes dans sa vie, l'évidence la frappa.

— Vous êtes Oncle Fazio !

— Exactement, dit-il en l'embrassant avec chaleur.

Il passa la tête dans l'embrasure de la porte et lança à la cantonade :

— Qui vient m'aider à porter le déjeuner ?

Aussitôt, tous les Santini se ruèrent vers lui.

— Où est ton camion ? s'enquit Drew.

— Dans la rue. Le parking était saturé.

Il lança les clés à Drew qui les attrapa au vol.

— J'ai toujours dit que ce garçon aurait dû faire carrière dans le base-ball, reprit Fazio. S'il avait

190

suivi mes conseils, il serait riche aujourd'hui, et ne serait pas obligé de travailler comme un âne à longueur de journées.

Perplexe, Melissa se tourna vers Del.

— Drew a choisi d'être avocat, lui dit-il en posant une main de propriétaire sur ses épaules.

Elle aimait ce geste, ce qu'il symbolisait. Si seulement cela pouvait durer…

A son tour, Gina embrassa son beau-frère.

— Tiens, tu as oublié de te raser ce matin…

— Je n'ai pas oublié, je n'en avais pas envie.

— Tu devrais avoir une femme.

— Ah, les belles-sœurs ! Quelle plaie dans une famille !

En grommelant, il la suivit à l'intérieur pour se rendre utile.

Del entraîna Melissa vers le fond de l'appartement.

— Viens avec moi, je veux te montrer quelque chose.

Melissa entra avec lui dans ce qui serait la chambre de Della. Le bruit ne paraissait pas gêner la petite, qui dormait à poings fermés.

— N'est-ce pas formidable, ce qui nous arrive ? lui murmura Melissa.

Del tira sur son bras avec impatience.

— J'ai un cadeau pour toi.

Et il lui montra un appareil qui trônait sur un petit bureau. En voyant de quoi il s'agissait, elle battit des paupières.

Del sentait presque l'émotion s'emparer d'elle.

— Oncle Fazio me l'avait offert quand j'ai eu mon bac. Il marche encore. Maintenant, tu pourras te passer tes disques quand tu voudras.

Elle ne disait rien et le silence commençait à le mettre mal à l'aise.

— Ah non, tu ne vas pas pleurer ! Ce sont encore des larmes de joie ?

Avec un faible sourire, elle noua ses bras autour de son cou. Il lui semblait être au paradis. Un paradis provisoire, certes, mais…

— De bonheur pur.

Il l'embrassa mais, très vite, Jimmy entra dans la pièce.

— Si vous voulez déjeuner, vous feriez mieux d'arrêter de vous embrasser et de venir en vitesse ! hurla-t-il en brandissant une part de pizza.

A contrecœur, Del entraîna la jeune femme dans le couloir, non sans s'emparer au passage du morceau que tenait Jimmy.

— Eh ! protesta ce dernier. C'est à moi !

192

— Je te le tiens. Va vite demander à ta maman de te donner une assiette.

— Je n'en ai pas, fit Melissa.

— Mais si ! répliqua Del. Dans le gros carton posé dans ta cuisine.

Le cœur en fête, Melissa le suivit pour rejoindre les autres.

12.

— Tu as de la visite, Santini ! lui lança Adam Phelps, l'équipier de Larry.

Del soupira. Il venait de se changer et avait envie de rentrer se reposer. Il n'avait pas l'intention de faire des heures supplémentaires.

Voilà une semaine que Melissa et Della ne vivaient plus chez lui. Il avait l'impression que leur départ remontait à une éternité. Il n'avait pas revu Melissa depuis dimanche. Comme lui, elle devait travailler, à présent. Par Kathleen, il savait que tout allait bien pour la mère et l'enfant, mais cela ne le consolait pas. Il lui était incroyablement difficile de revenir à son existence d'avant sa rencontre avec Melissa. Le soir, il retrouvait la maison comme il l'avait laissée en partant. Vide.

Sinistrement vide.

Del regarda Phelps, qui se tenait sur le seuil des vestiaires.

— J'ai fini ma journée, Adam.

Phelps se mit à rire. Quand il était avec Larry, Del croyait voir Laurel et Hardy.

— Je pense que tu seras d'accord pour la prolonger, assura Phelps d'un air énigmatique.

Résigné, Del rangea son uniforme et suivit son collègue.

Phelps lança à Larry d'une voix suffisamment forte pour être entendu par Del :

— Santini n'est pas à prendre avec des pincettes, ces temps-ci.

— A mon avis, il y a une femme là-dessous, renchérit Larry.

— C'est sûr.

Se tournant vers Del, Larry reprit :

— Del, viens donc dîner chez moi demain soir. Edie a invité une de ses collègues qui serait ravie de faire ta connaissance.

Son sac sur l'épaule, Del secoua la tête.

— Merci, Larry, ça ne me dit rien. Je ne cherche pas de petite amie. Je suis très bien tout seul.

En tout cas, jusqu'à sa rencontre avec Melissa, sa vie de célibataire lui avait parfaitement convenu. Il mourait d'envie de passer la voir mais il s'était promis de la laisser respirer.

Secrètement, il espérait qu'il lui manquait et

qu'elle regrettait d'avoir préféré son indépendance. Bien sûr, il respectait ses désirs ; n'empêche, il ne comprenait pas très bien pourquoi elle ne pouvait pas se sentir libre en partageant ses repas, son lit, sa vie.

Il se dirigea vers la salle de réunion, décidé à se montrer poli mais bref avec son visiteur. Il ne rêvait que de rentrer chez lui, prendre une bonne douche et se plonger dans un roman. En somme, de faire l'impossible pour ne plus penser à Melissa...

Il s'arrêta net en découvrant celle-ci debout devant la fenêtre, et sentit ses jambes se dérober sous lui.

Un sixième sens avait averti Melissa de l'arrivée de Del. Avant même de l'apercevoir, de l'entendre, elle avait deviné sa présence toute proche.

— Bonjour, Del.

— Bonjour.

Laissant tomber son sac à ses pieds, il s'appuya contre le bureau. Que faisait-elle ici ? Il n'imaginait qu'une explication et son cœur se serra.

— Y a-t-il un problème avec Della ?

Pensait-il qu'elle n'avait envie de le voir que pour lui demander de l'aide ? N'avait-il pas la moindre idée de ce qui lui torturait l'esprit depuis huit jours ?

— Pas du tout. Della est en pleine forme. Kathleen s'en occupe à merveille. Elle est d'ailleurs avec elle actuellement.

Elle se leva et prit son sac.

— Je suis venue te donner cela.

Et en souriant, elle lui tendit un billet de cinquante dollars.

— Je sais que ce n'est pas beaucoup mais c'est un début. Bien sûr, tu vas croire qu'il me faudra des années pour te rembourser mais…

Il ne voulait pas de son argent. Il ne supportait pas l'idée qu'elle lui doive quelque chose parce qu'il l'avait accueillie quelque temps sous son toit. En vérité, il aurait payé pour vivre cette expérience, une des périodes les plus heureuses de son existence. Mais il voyait que Melissa en avait besoin.

— Très bien. Et maintenant, comme je viens d'avoir une rentrée de fonds inattendue, j'aimerais t'inviter à dîner…

Avec un éclat de rire, elle secoua la tête. Il n'avait pas changé et elle en éprouva un étrange plaisir.

— Tu n'es pas du genre économe, dis-moi !

— Je ne perds jamais l'occasion de dépenser ma fortune avec une jolie femme.

Il rangea le billet dans sa poche et s'appuya de nouveau contre le bureau.

197

— Si tu refuses, je t'arrête et te jette en prison.

Il n'eut pas à user de telles extrémités. Elle avait très envie de passer la soirée avec lui. Et partager un repas n'engageait à rien.

Mais elle songea soudain à sa fille.

— Je dois aller chercher Della.

— Et priver ma sœur de sa compagnie ? Tu es vraiment d'une cruauté !

Il s'empara du téléphone et décida :

— Je vais appeler Kathy et lui expliquer que tu as eu une urgence.

— Laquelle ?

Tout en composant le numéro, il répondit en riant :

— Moi.

Melissa savait qu'il n'aurait servi à rien de protester et n'en avait du reste aucune intention.

Il lui avait manqué.

Il l'emmena dans un restaurant de fruits de mer tahitien. Les homards y étaient réputés, la musique douce. Del comptait beaucoup sur l'ambiance.

— Alors, ça te plaît ?

Un verre à la main, il la regardait se régaler des crevettes servies en apéritif. Bientôt, elle le rendrait fou, il le savait. Ce n'était qu'une question de temps.

Humectant ses lèvres, elle repartit :

— Délicieux !

— Je parlais de ton travail.

— Un peu fatigant mais passionnant. J'ai toujours aimé enseigner. Et les enfants.

Travailler, s'assumer lui procuraient un énorme sentiment de satisfaction. Mais ne la comblaient pas totalement, pas depuis qu'elle avait rencontré Del.

— A ce propos, comment va Della ? Je ne l'ai pas vue depuis si longtemps que je me demande si je la reconnaîtrais.

Ainsi, elles lui avaient manqué, songea-t-elle avec un frisson de plaisir.

— Del, cela ne fait qu'une semaine…

— Pour les papillons, cela représente sept vies !

Elle se mit à rire, il avait raison.

— Tu peux venir lui rendre visite quand tu veux, tu sais.

Del se pencha vers elle, si près qu'il aurait pu embrasser ses lèvres.

— Et sa mère ? Puis-je aller la voir, elle aussi ?

Le cœur de Melissa fit une embardée.

— Bien sûr.

— Ce soir ?

La peur se mêla au plaisir. Si elle acceptait, tout deux savaient comment se terminerait la soirée.

— Del, ne me bouscule pas.

Il prit un morceau de pain et s'obligea à le mâcher lentement, consciencieusement.

— Désolé. Si j'avais dû m'en charger, Rome aurait été construite en un jour. Je ne suis pas du genre à tergiverser.

Comme le serveur arrivait avec la salade, elle répliqua :

— La précipitation ne mène à rien de bon.

Del haussa les épaules.

— Malheureusement, je n'ai aucune patience.

Avec un sourire, elle lui caressa la joue.

— C'est sans doute la seule qualité qui te manque...

Il suffit à Del de tourner la tête pour saisir les doigts de la jeune femme entre ses lèvres. Il les embrassa avec dévotion.

— Je suis donc près de la canonisation.

— Très près, fit-elle en frissonnant.

Del la désirait tant qu'il avait du mal à parler posément.

200

— Les religieuses chez qui j'ai été scolarisé seraient très heureuses de l'apprendre. Elles me destinaient à la potence.

Pour mieux savourer le plaisir que le contact de ses lèvres sur sa main faisait naître en elle, elle ferma les yeux.

— Elles ne te connaissaient pas comme moi.

— Espérons-le.

— La première fois que j'ai rencontré ta sœur, elle m'a dit qu'elle te voyait comme un saint François d'Assise moderne.

Il s'esclaffa.

— C'était sans doute une allusion à l'atmosphère rustique qui régnait chez moi jusqu'à ce que tu nettoies tout à fond !

— Je ne pense pas.

— Mais alors, explique-moi quelque chose…

Le menton appuyé sur ses mains, il la contempla avec intensité.

— Si je suis si parfait, pourquoi as-tu tant de mal à nouer une relation amoureuse avec moi ?

Les yeux sur son assiette, elle coupa sa salade du bout de sa fourchette pour se donner le temps de chercher ses mots. Il méritait de le savoir.

— Tu dois comprendre.

— Melissa, je ne fais que cela : essayer de

comprendre. Mais donne-moi des pistes. Autrement, je ne peux qu'en déduire que le problème vient de moi.

— Oh non ! dit-elle en lui prenant la main. Il est en moi.

Pour trouver la force d'évoquer la question, elle prit une profonde inspiration. Certaines choses étaient douloureuses à raconter.

— Toute ma vie, les gens que j'aimais m'ont quittée.

Il voulut protester, lui dire que tout cela appartenait au passé et n'avait rien à voir avec lui. Mais elle tenait à lui en parler pour réussir à tourner la page.

— Mon père est parti de la maison quand j'avais huit ans et je ne l'ai jamais revu. J'ai appris son décès dans le journal.

Elle se mordit la lèvre. Si Billy Ryan n'avait pas été à la hauteur et n'avait donc pas beaucoup compté dans sa vie, sa disparition l'avait blessée.

— Puis ma mère m'a lâchée à son tour en passant ses nuits dans des boîtes, à boire et à draguer, avant de sombrer dans une grave dépression. Elle est morte dans un asile.

— Melissa...

Elle secoua la tête en serrant les poings.

— Laisse-moi finir. Il le faut. Et puis, il y a eu Alan. Je pensais qu'il était l'homme de mes rêves mais il prenait la vie comme un jeu, même mon amour pour lui. Le jour où il m'a quittée, nous devions nous marier le lendemain.

La gorge serrée, elle baissa la tête — et se rendit compte qu'elle déchirait sa serviette avec application.

— Tu es différent. Tu es bon, gentil, adorable. Intellectuellement, je le sais. Mais au fond de mon cœur, j'ai encore peur d'être de nouveau déçue, abandonnée, mal aimée… J'ai besoin de temps.

— Pour me faire confiance ?

— Et surtout pour me fier à mon propre jugement.

Il opina. Que pouvait-il faire d'autre ? Il l'aimait.

— Tout ira bien, lui dit-il en souriant. La chance tourne, tu sais. Viens…, ajouta-t-il en prenant sa main.

— Nous partons ? s'écria-t-elle, étonnée.

— Non, nous allons danser, répondit-il en la guidant entre les tables.

— Mais le dîner…

— Il attendra. J'ai envie de te serrer dans mes bras. Et les salades se mangent froides, non ?

Avec un frisson de plaisir, elle se blottit contre lui. Elle aimait tant sa chaleur, sa tendresse.

— Nous sommes les seuls sur la piste, remarqua-t-elle.

— Les autres préfèrent nous admirer, fit-il en l'étreignant plus étroitement.

— A mon avis, ils ont surtout envie de déguster leurs fruits de mer !

Del se promit de chasser les démons qui la hantaient encore. Prendre conscience de ses blessures représentait déjà un progrès. Mais elle avait encore du chemin à faire avant d'accepter son amour.

Son parfum l'envoûtait et lui chauffait le sang.

— A-je le droit de te dire que je t'aime ?

Joue contre joue, elle savoura la chaleur que cette déclaration lui procurait.

— Pas de pression, d'accord ?

Quand il souleva son menton et effleura ses lèvres des siennes, elle retint un gémissement. Elle voulait plus. Quand tirerait-elle les leçons du passé ? Quand cesserait-elle de rêver ?

Plein d'espoir, il attendit. Mais elle ne lui avoua pas à son tour son amour et ce silence le blessa cruellement. Il tenta de se persuader qu'elle avait simplement besoin d'un peu de temps pour pouvoir formuler ce qu'elle éprouvait pour lui.

Il attendrait.

De toute façon, il n'avait pas le choix.

Melissa passa des heures à réfléchir et finit par se convaincre qu'elle ne voulait pas s'attacher à quelqu'un d'autre que Della. Il lui fallait d'abord découvrir qui était Melissa Ryan…

Depuis deux mois, Del était très présent dans sa vie. Il débarquait souvent, à la sortie de l'école, pour l'inviter à déjeuner. Le week-end, il l'emmenait avec Della au zoo, au parc, pique-niquer… Della n'en garderait aucun souvenir.

Mais Melissa ne l'oublierait jamais.

Elle voulait être indépendante. Cependant, petit à petit, il s'imposait dans son existence. Elle finissait par considérer qu'une journée n'était pas complète si elle n'avait pas entendu le son de sa voix au téléphone ou s'il n'était pas passé la voir. Il apaisait ses craintes d'abandon.

Hélas, sans les faire totalement disparaître.

Régulièrement, l'angoisse la reprenait. Elle se traitait alors d'idiote, se répétait que l'amour de Del pour elle n'était qu'un leurre. A une autre époque, elle avait cru Alan lorsqu'il lui disait qu'il l'aimait, la protégerait. Et cela ne l'avait pas empêché de partir...

Et que se passerait-il si, un jour, Del se désintéressait d'elle et la plaquait à son tour ? Cela la détruirait. Elle ne pouvait courir le risque. A cause de Della. L'enfant avait besoin d'une mère forte, pas du déchet humain qu'elle deviendrait inexorablement après une nouvelle rupture amoureuse.

A force d'aimer un homme qui ne méritait pas son amour, Norma Ryan s'était perdue. Elle s'était entièrement reposée sur son petit ami et quand il l'avait abandonnée, elle s'était effondrée. Un temps, elle avait tenté d'apprendre à marcher seule. Mais elle n'en avait pas été capable. Sa fille n'avait pas suffi à lui redonner l'envie de continuer. Et elle s'était laissée couler.

Melissa ne voulait pas finir ainsi.

Elle devait rompre avec Del. Le quitter avant qu'il ne la quitte.

Plus le temps passait, plus elle devenait dépendante de lui. Si elle partait la première, elle en souffrirait. Mais moins que si la rupture venait de lui.

C'était la seule solution. Et il lui fallait agir maintenant, avant qu'il ne soit trop tard, avant de ne plus pouvoir revenir en arrière...

13.

— Bonjour.

Comme Del entrait dans l'appartement de Melissa, il sentit immédiatement que quelque chose n'allait pas. Le visage fermé, la jeune femme semblait sur la défensive.

— Tu es prête à sortir ? lui demanda-t-il.

— Non.

Il se laissa tomber sur le canapé.

— Bon, si tu as besoin de te changer, vas-y. Je t'attends.

Melissa regretta que sa fille ne se mette pas à pleurer, ce qui lui aurait donné une excuse pour quitter la pièce et retarder l'inévitable. Mais elle avait nourri et changé la petite une demi-heure plus tôt et Della s'était sagement endormie.

Voyant qu'elle n'esquissait pas le moindre mouvement, Del se releva.

— Que se passe-t-il, Melissa ?

Dieu que rompre avec lui était difficile ! Plus encore qu'elle ne l'avait prévu. Sans un mot, elle lui tendit une enveloppe.

Un long moment, Del la regarda avant de l'ouvrir. A l'intérieur se trouvaient des billets de cent dollars. Quinze exactement. Il n'avait pas besoin de les compter pour le savoir.

— Il y a tout ce que tu me dois ! En général, tu me donnes cinquante dollars par semaine.

Où avait-elle trouvé cet argent ? Et pourquoi était-ce si important pour elle de s'acquitter de sa dette ? La crainte s'empara de lui.

— J'ai contracté un petit emprunt, fit-elle. Le directeur de l'école s'est porté caution.

Lentement, il mit l'argent dans sa poche.

— Alors maintenant, tu vas rembourser la banque au lieu de moi.

— Oui.

Il l'observa avec attention.

— Et tu te sens mieux ainsi ?

— Oui, répondit-elle trop vite. Non, finit-elle par avouer.

C'était si douloureux… Elle détourna la tête.

— Del, mieux vaut ne plus nous voir pendant quelque temps. J'ai besoin de réfléchir.

— Je t'ai donné tout le temps nécessaire,

208

lui rappela-t-il. Cela fait déjà deux mois que je patiente.

Il avait soudain envie de crier.

— J'ai besoin de réfléchir seule, précisa-t-elle, le suppliant des yeux. Si tu tournes autour de moi, je n'y arrive pas.

Malgré sa peine, un petit sourire se dessina sur les lèvres de Del.

— Je le prends comme un compliment.

— Del, je t'en prie.

Il soupira.

— Ainsi, tu as envie de rompre avec moi...

Dans son regard, elle vit briller une souffrance infinie, et s'en voulut d'en être la cause.

— T'ai-je jamais refusé quelque chose ? ajouta-t-il tristement. Bon. Puis-je dire au revoir à Della ?

Melissa se sentait cruelle. Se répéter que cette rupture était la meilleure solution pour eux deux ne l'aidait en rien.

— Elle dort.

— Ne t'inquiète pas, je ne la réveillerai pas.

D'un instant à l'autre, elle allait fondre en larmes, elle le savait.

— Tu ne me facilites pas les choses.

— Tant pis.

Tentant de toutes ses forces de maîtriser ses

émotions, il passa devant elle pour se rendre dans la petite chambre. Elle était remplie de toutes les affaires que Kathleen avait prêtées. Dans un coin, l'ours géant trônait comme un Bouddha…A pas de loup, Del s'approcha du berceau. Della était vêtue de la grenouillère rose qu'il lui avait offerte la semaine précédente.

— Apparemment, nous allons devoir attendre encore un peu avant de former une famille, chérie. Sans doute beaucoup plus longtemps que nous l'imaginions…

Comment Melissa pouvait-elle le laisser tomber ainsi ? N'en avait-elle rien à faire de lui ? Avait-il seulement *cru* qu'il y avait quelque chose entre eux ?

— Je t'aime, chuchota-t-il à l'enfant.

Avec douceur, il caressa le crâne du bébé, puis quitta la pièce sans bruit.

Melissa l'attendait dans le salon, les bras croisés, le visage impénétrable.

Il tenta de prendre un air léger.

— Bon, alors on s'appelle, d'accord ?

Elle ne pouvait supporter de le voir souffrir ainsi et pourtant elle n'avait pas le choix.

— Del, essaie de comprendre…

— Je comprends trop bien. Prends soin de toi.

Et il s'en alla.

Un long moment, la jeune femme regarda la porte close, sans bouger, le cœur brisé.

Puis Della se mit à pleurer et Melissa se secoua pour s'occuper d'elle.

Quelques heures plus tard, l'enfer commença. Della se rendormit, mais pas Melissa. Morphée la fuyait. A la fin, elle renonça à chercher le sommeil et se mit à arpenter l'appartement en chemise de nuit. Elle se sentait perdue.

Il l'avait quittée.

Comme ça.

Bien sûr, c'était elle qui l'avait poussé vers la sortie mais, au fond, elle ne voulait pas qu'il parte. Pas vraiment. Avec un gros soupir, elle passa la main dans ses cheveux.

— Seigneur, qu'ai-je fait ? gémit-elle.

Elle se rendit compte soudain qu'elle avait cherché à le tester, à le sonder. En l'envoyant promener, elle avait espéré au fond de son cœur qu'il protesterait, refuserait de s'en aller, qu'il lui avouerait qu'il l'aimait trop pour accepter une rupture.

Au lieu de quoi, il avait tourné les talons sans un regard en arrière. Peut-être se réjouissait-il d'être débarrassé d'elle…

Elle avait précipité l'inévitable, voilà tout. Del l'aurait sans doute plaquée un jour ou l'autre, comme Alan. Sans le savoir, elle s'était protégée.

Pourtant, elle n'en éprouvait aucun soulagement. Une sourde douleur la rongeait, une profonde solitude l'envahissait.

Le chagrin et la déception qui broyaient son âme étaient pires que ce qu'elle avait craint.

L'abandon de sa mère s'était produit par étapes, elle l'avait senti venir. Même avec Alan, elle avait deviné ce qui allait arriver. Il dépensait son argent, passait ses nuits à faire la fête sans elle…

Mais Del n'avait donné aucun signe de rupture imminente. Une partie d'elle-même avait commencé à espérer que leur histoire ne finirait pas comme toujours sur un échec, que cette fois, un homme l'aimait. Elle n'avait pas été préparée.

Elle promena les yeux autour d'elle, sur l'horloge murale que lui avait offerte Gina, le mur peint par Tony, le miroir, présent de Krys. Tout son appartement était une mosaïque de cadeaux de Del et de sa famille. Tous s'étaient montrés adorables avec elle. Depuis qu'il la connaissait, Del se démenait pour la rendre heureuse. De quelle preuve d'amour supplémentaire avait-elle donc besoin ?

Il l'aimait.

Et elle aussi était tombée amoureuse de lui, pensa-t-elle avec effroi.

Les larmes coulaient sur ses joues et elle les essuya d'un geste rageur. Il était 2 heures du matin. Demain, elle ressemblerait à un zombie. Il lui fallait dormir.

Mais elle ne fit que tourner et se retourner dans ses draps.

Furieuse, elle rallumait sa lampe quand elle entendit brusquement carillonner la sonnette de l'entrée.

— Ouvre-moi, Melissa !

— Del ?

— Qui veux-tu que ce soit d'autre, à cette heure-ci ?

D'une main tremblante, elle entrebâilla la porte.

Les mains sur les hanches, Del la considérait d'un air menaçant. S'il n'avait pas été si en colère, il aurait apprécié la chemise de nuit qui laissait deviner ses courbes ; or, aveuglé par la fureur, il n'y prêta aucune attention.

— J'estime avoir été séparé de toi assez long-temps, Melissa. Je ne supporte plus d'être loin de toi. Et toi ?

A la vue de son visage marbré de larmes, une étrange émotion s'empara de lui.

— Visiblement, toi non plus…

Elle se jeta à son cou en sanglotant.

Stupéfait par ce changement de ton radical, Del lui caressa maladroitement les cheveux.

— Qu'est-ce qui ne va pas ?

En proie à un immense soulagement, elle savourait le bonheur d'être de nouveau dans ses bras, à respirer son odeur d'homme.

— Je pensais que tu étais parti.

— Tu m'as jeté comme un Kleenex, tu t'en souviens ?

Elle leva la tête pour le regarder en face.

— Mais tu n'étais pas obligé de t'en aller…

— Ta logique féminine m'échappe complètement, dit-il en embrassant ses joues baignées de pleurs. J'ai besoin de toi, Melissa. Et de Della aussi. Je ne supporte pas l'idée qu'un autre l'élève. Je veux la voir faire ses premiers pas, la consoler quand elle aura du chagrin. Etre son père. Je l'aime depuis sa naissance, depuis l'instant où je l'ai prise dans mes bras. Ne comprends-tu pas ? Et j'ai envie de vivre avec toi, de vieillir à tes côtés, de tout partager avec toi et surtout, de t'aimer comme personne ne t'a jamais aimée. Je ne te laisserai

214

jamais tomber comme cet abruti d'Alan. Jamais. Je t'aime, Melissa.

Il l'étreignit avec force.

— Epouse-moi, Melissa, ou je t'enferme pour le reste de ton existence.

— Est-ce ainsi que tu vois le mariage ? lui dit-elle en riant. Comme une prison ?

— Non, depuis que je te connais, je le considère comme quelque chose de merveilleux. Maintenant, dis-moi que tu acceptes de m'épouser.

Avec un soupir de bonheur, elle se pressa contre lui.

— Oui ! Mille fois oui !

Comme il s'apprêtait à prendre ses lèvres, elle recula légèrement.

— Attends, je veux d'abord te dire quelque chose.

— Fais vite, alors. Je meurs d'envie de t'embrasser. Et je compte bien le faire toute la nuit.

Avec un petit rire, elle hocha la tête.

— D'accord. Alors écoute : tu représentes tout ce dont j'ai toujours rêvé, Del. J'avais seulement peur de croire que j'avais enfin trouvé quelqu'un qui m'aimait, quelqu'un qui ne me quitterait pas. J'ai été tellement déçue par le passé…

D'un air protecteur, il la serra étroitement contre lui.

— Cette fois, tu ne le seras pas, je te le promets.

Elle colla sa bouche à la sienne.

— Pas la peine de me le promettre, je le sais !

Le nouveau visage
de la collection Or

◆

AMOURS D'AUJOURD'HUI

Afin de mieux exprimer sa modernité et de vous séduire encore davantage, votre collection Or a changé de couverture et de nom depuis le 1er mars 1995.

Rassurez-vous, les romans, eux, ne changent pas, et vous pourrez retrouver dans la collection **Amours d'Aujourd'hui** tous vos auteurs préférés.

Comme chaque mois, en effet, vous y attendent des héros d'aujourd'hui, aux prises avec des passions fortes et des situations difficiles...

**COLLECTION
AMOURS D'AUJOURD'HUI :**
Quand l'amour guérit des blessures de la vie...

Chère lectrice,

Vous nous êtes fidèle depuis longtemps?
Vous venez de faire notre connaissance?

C'est pour votre plaisir que nous avons
imaginé un rendez-vous chaque mois
avec vos auteurs préférés, vos
AUTEURS VEDETTE dans les
collections Azur et Horizon.

**Les AUTEURS VEDETTE vous
donneront rendez-vous pour de
nouveaux livres vedette.**

Pour les reconnaître, cherchez
l'étoile ... Elle vous guidera!

Éditions Harlequin

HARLEQUIN

LE FORUM DES LECTEURS ET LECTRICES

CHERS(ES) LECTEURS ET LECTRICES,

VOUS NOUS ETES FIDÈLES DEPUIS LONGTEMPS?

VOUS VENEZ DE FAIRE NOTRE CONNAISSANCE?

SI VOUS AVEZ DES COMMENTAIRES, DES CRITIQUES À
FORMULER, DES SUGGESTIONS À OFFRIR, N'HÉSITEZ
PAS... ÉCRIVEZ-NOUS À:

> LES ENTERPRISES HARLEQUIN LTÉE.
> 498 RUE ODILE
> FABREVILLE, LAVAL, QUÉBEC.
> H7R 5X1

C'EST AVEC VOS PRÉCIEUX COMMENTAIRES QUE NOUS
ALLONS POUVOIR MIEUX VOUS SERVIR.

DE PLUS, SI VOUS DÉSIREZ RECEVOIR UNE OU
PLUSIEURS DE VOS SÉRIES HARLEQUIN PRÉFÉRÉE(S)
À VOTRE DOMICILE, NE TARDEZ PAS À CONTACTER LE
SERVICE D'ABONNEMENT; EN APPELANT AU
(514) 875-4444 (RÉGION DE MONTRÉAL) OU 1-800-667-4444
(EXTÉRIEUR DE MONTRÉAL) OU TÉLÉCOPIEUR
(514) 523-4444 OU COURRIER ELECTRONIQUE:
AQCOURRIER@ABONNEMENT.QC.CA OU EN ÉCRIVANT À:

> ABONNEMENT QUÉBEC
> 525 RUE LOUIS-PASTEUR
> BOUCHERVILLE, QUÉBEC
> J4B 8E7

MERCI, À L'AVANCE, DE VOTRE COOPÉRATION.

BONNE LECTURE.

HARLEQUIN.

VOTRE PASSEPORT POUR LE MONDE DE L'AMOUR.